Morgan, le chevalier sans peur

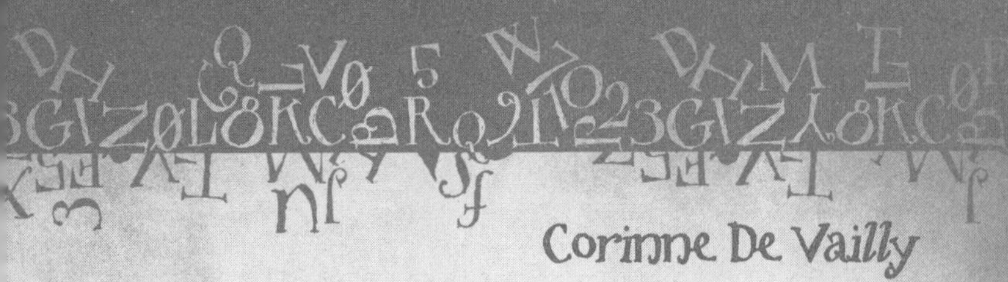

Corinne De Vailly

Morgan, le chevalier sans peur

Les Éditions Goélette

Graphisme : Marjolaine Pageau et Julie Jodoin Rodriguez
Révision, correction : Patricia Juste, Élyse-Andrée Héroux
Illustrations de la couverture : Julie Jodoin Rodriguez
Autres illustrations : Shutterstock

Dépôt légal : 1er trimestre 2011
Bibliothèque et Archives nationales du Québec
Bibliothèque nationale du Canada

Les Éditions Goélette bénéficient du soutien financier de la SODEC pour son programme d'aide à l'édition et à la promotion.

Nous remercions le gouvernement du Québec de l'aide financière accordée par l'entremise du Programme de crédit d'impôt pour l'édition de livres, administré par la SODEC.

Membre de l'Association nationale des éditeurs de livres.

Imprimé au Canada
ISBN : 978-2-89638-888-2

CHAPITRE 1

Aujourd'hui, c'est congé.

« Ça n'arrive pas souvent, alors faut en profiter ! » se dit Morgan.

Ces jours-là, il les passe toujours avec son ami Joffrey. À eux deux, ils ont formé une bande. Enfin, ils étaient deux jusqu'à ce que Jenny vienne jouer avec eux. Jenny, c'est une fille. Une fille dans leur bande ! En peu de temps, elle est devenue la meilleure amie de Morgan. Après Joffrey, bien sûr !

Il faut dire que, question imagination, Jenny en a autant qu'eux deux, alors elle a vite été acceptée dans la bande.

Les trois amis partagent un grand secret : ils connaissent une fée ! Oui, oui ! une magicienne qui peut les emmener dans des pays lointains, des univers féeriques. Aujourd'hui, Morgan et Joffrey se demandent quelle nouvelle aventure va les propulser dans un monde inconnu.

– Et si on visitait les pyramides d'Égypte ? propose Morgan.

– Bof ! les pharaons... quand on en a vu un, c'est comme si on les connaissait tous, soupire Joffrey, en rajustant ses lunettes à verre épais. J'irais bien faire un tour à Mexico, chez les Aztèques... Ça, ce serait une véritable aventure !

– Pas mal ! répond Morgan.

À ce moment-là, Jenny, en larmes, surgit dans la cabane.

– Jenny ?! Qu'est-ce qui se passe ? demande Morgan.

– T'as mal ?! Où ? fait Joffrey.

Mais les réponses de Jenny sont incompréhensibles.

– Maman... papa... pas moi !

– On ne comprend pas ! Calme-toi ! dit Joffrey.

Morgan lui sert vite un jus d'orange. Mais Jenny repousse le verre. Entre deux sanglots, elle parvient à articuler :

– Ma maman... c'est pas ma maman !

Alors là ! Morgan et Joffrey en restent bouche bée. Mais Joffrey s'empresse vite de serrer les lèvres, il n'aime pas montrer qu'il porte un appareil dentaire.

Pour une fois, les deux garçons ne trouvent rien à dire. À leur air ahuri, Jenny voit bien qu'ils n'ont rien compris. Elle se remet à pleurer de plus belle.

– Maman vient de me dire que j'ai été adoptée !

Morgan en tombe sur le derrière. C'est-à-dire qu'il se laisse tomber dans le fauteuil défoncé que leur vieille amie, Fée Des Bêtises, leur a offert. Sous son poids, le fauteuil bascule. Morgan se retrouve les quatre fers en l'air. Joffrey éclate de rire et Jenny, de colère.

– Tu trouves ça drôle ?! Je vous dis que mes parents, c'est pas mes parents, et vous trouvez ça drôle !

Jenny est furieuse. Si son regard pouvait les transformer en pierre, les deux garçons seraient figés pour l'éternité. Joffrey étouffe son fou rire derrière une main, tandis que, de l'autre, il aide Morgan à se relever.

– Bon. Si tu nous expliquais un peu ce qui t'arrive ?

Avec sa main, Morgan brosse son jean pour en chasser la poussière du plancher.

– Ouais, raconte, approuve Joffrey en prenant Jenny par les épaules.

Il l'emmène s'asseoir sur la paillasse éventrée qui se trouve dans un coin de leur cabane. Jenny se mouche bruyamment dans le papier mouchoir froissé que Morgan vient de sortir de sa poche. Puis elle inspire profondément et déclare :

– Eh bien, c'est simple, je ne suis pas la fille de mes parents. J'ai été adoptée, c'est maman qui me l'a dit tout à l'heure...

– Ben, ça alors ! Et t'es la fille de qui ? lui lance Morgan, éberlué.

– Sais pas ! Me l'a pas dit..., répond Jenny en se frottant les yeux avec le mouchoir de papier tout trempé.

– Tu ne lui as pas demandé ? l'interroge Joffrey.

– Non ! Je... Ça m'a fait tellement mal... Je me suis sauvée !

Jenny recommence à pleurer bruyamment.

Joffrey la serre contre lui, tandis que Morgan vide ses poches à la recherche d'autres mouchoirs. Soudain, il s'écrie :

– J'ai une idée ! Je vais rechercher ta vraie famille !

Jenny et Joffrey le dévisagent.

– Ben, oui ! Grâce à notre amie Fée Des Bêtises, on peut aller où on veut. On n'a qu'à lui demander de nous faire retourner dans le passé... jusqu'au jour de ta naissance !

– Morgan a raison. C'est simple. Si on peut assister à ta naissance, on verra qui est ta vraie mère, c'est évident.

– Vous feriez ça pour moi ?! Oh, vous êtes les meilleurs amis du monde !

Jenny embrasse doucement Joffrey sur le front et Morgan sur le bout du nez. Les deux garçons rougissent jusqu'à la racine des cheveux.

– Bien, maintenant, il faut faire appel à Fée Des Bêtises.

Morgan saisit la main gauche de Joffrey et la main droite de Jenny. En se tenant ainsi, les trois amis se concentrent très fort, en silence. Pour appeler Fée Des Bêtises, il faut vider son esprit, fixer ses pensées sur elle et l'appeler trois fois par son nom. Si tout est fait comme il se doit, normalement, elle apparaît au bout de cinq secondes.

– Ah ! la voici !

Fée Des Bêtises, en fait, est une vieille dame que Morgan et Joffrey ont rencontrée quelque temps auparavant. C'est une sans-abri, une personne errante, sans toit sur la tête. Bref, elle vit dehors. Mais, elle, elle dit que ça ne la gêne pas ! Elle n'est pas une vraie clocharde, mais plutôt une magicienne. Le problème, c'est qu'à vouloir trop bien faire, parfois, eh bien, elle fait des bêtises. C'est pour cela que Morgan et Joffrey lui ont donné ce surnom.

Ses pouvoirs magiques sont immenses. Elle peut, par exemple, emmener les trois amis là où ils le désirent. Fée Des Bêtises a remis à chacun d'entre eux un calepin très précieux. Mais attention, ils doivent l'utiliser rapidement, car parfois pfuitt!, les pouvoirs de la magicienne s'usent et disparaissent. Et quand ses pouvoirs s'envolent et qu'on est dans un chariot en feu au milieu d'une attaque de Sioux, c'est pas rigolo... C'est arrivé à Morgan! Et il ne l'oubliera pas de sitôt.

Fée Des Bêtises apparaît donc à la porte, la tête dans une corbeille d'osier; elle parle à travers.

–Ne me faites plus jamais ce coup-là! J'étais en train de jeter un œil dans cette corbeille abandonnée derrière l'école quand j'ai capté votre appel. Je suis tombée la tête la première dedans. Allez, aidez-moi à retirer ça!

Joffrey s'empresse de lui obéir. Elle a l'air grognon comme ça, mais elle est morte de rire sous sa corbeille. Évidemment, les trois enfants rigolent eux aussi. Mais Fée Des Bêtises sent tout de suite que le rire de Jenny est forcé.

–Ma petite Jenny, qu'est-ce qui se passe? Je sens des trémolos dans tes petits rires grelots.

Une fois de plus, la fillette raconte son histoire. Juste à y penser, elle recommence à pleurer.

–Et tu n'as aucun indice pour retrouver tes vrais parents? l'interroge Fée Des Bêtises. Un prénom, un lieu, une photo, un souvenir...

–Euh... non! Rien! Je me suis sauvée! s'excuse Jenny.

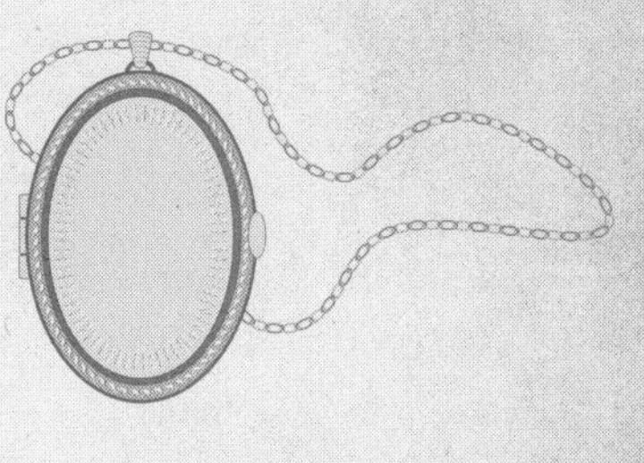

–Et qu'est-ce que je vois là? demande la magicienne en dégageant un médaillon autour du cou de Jenny.

–Oh, ça! Je l'ai depuis... depuis ma... naissance!

–Hé! hé! Je savais bien qu'on aurait un indice. Regardons ça de plus près.

Jenny retire le médaillon, et la fée l'examine attentivement. Le pendentif ressemble à une petite boîte. Elle passe son doigt sur le côté de la médaille, et déclenche un mécanisme secret. Le pendentif s'ouvre. Et à l'intérieur, ô surprise!

–Un papier?! Mais non, c'est un petit bout de parchemin! s'exclame Morgan.

Fée Des Bêtises le regarde dans tous les sens, puis le tend à Morgan. Celui-ci l'examine à son tour et le passe à son ami. Joffrey tourne et retourne le parchemin entre ses doigts, avant de le rendre à Jenny qui l'inspecte elle aussi. Joffrey hausse les épaules.

– Non, je ne vois pas ce que ça peut être ! On dirait que c'est écrit en langue étrangère. En tout cas, en français, ça ne veut rien dire.

– Voyons encore !

Morgan prend le papier et lit lentement :

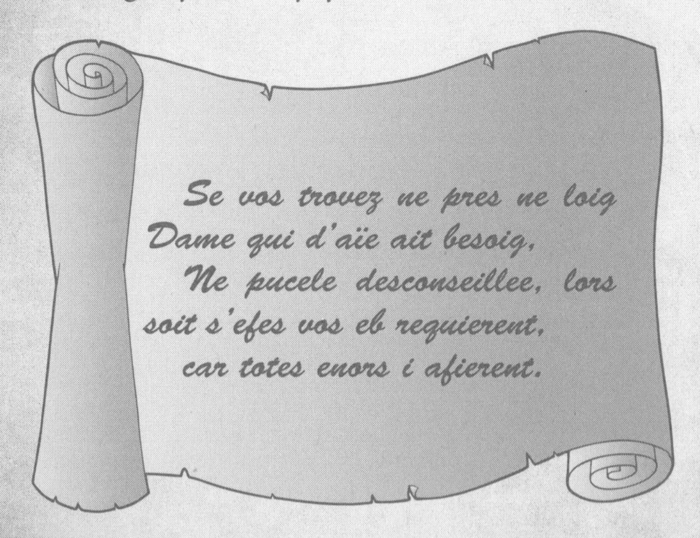

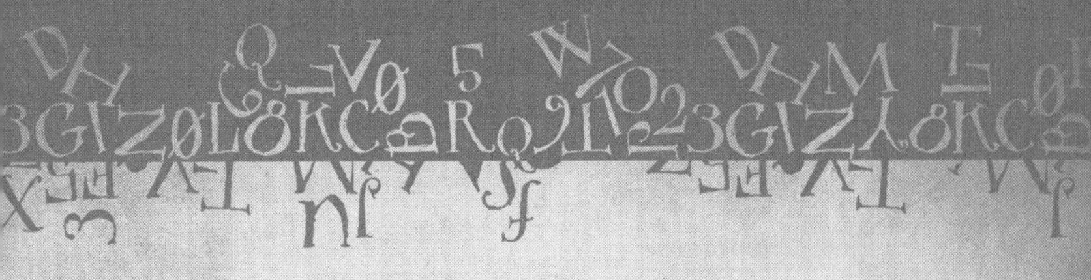

– C'est du chinois ! sanglote Jenny qui, découragée, se laisse tomber sur la paillasse.

– Ha ! ha ! Je connais cette langue ! affirme Fée Des Bêtises en dansant d'un pied sur l'autre.

– Ah oui ? Qu'est-ce que c'est ? lance Joffrey.

Il prend aussitôt un calepin et un crayon, prêt à noter la traduction.

– Jouons aux indices ! propose la magicienne en déposant le parchemin sur la table brinquebalante.

– C'est pas le moment de jouer, Fée ! grogne Morgan.

Mais la fée lui fait un gros clin d'œil. Quand elle agit comme ça, il n'y a rien à faire. Elle est plus têtue qu'une mule. S'ils veulent qu'elle les aide, ils devront jouer.

– Euh... ça ne ressemble pas à des **hiéroglyphes** égyptiens, commente Morgan, les yeux rivés sur le papier.

– Celui qui parlait cette langue portait une armure ! déclare Fée en les interrogeant du regard.

– Un chevalier ! Mon père, c'est un chevalier ! s'écrie Jenny avec un grand sourire.

– Minute, pas si vite ! J'ai dit : celui qui parlait cette langue. Les paysans la parlaient aussi. Ton père était peut-être un paysan de cette époque ! continue Fée.

– Ah, je sais de quelle époque il s'agit ! affirme Joffrey. C'est le Moyen Âge...

– Bravo ! Et de quelle langue s'agit-il ? demande encore la magicienne.

– Ça y est, j'ai trouvé, c'est du...

Morgan murmure la réponse à l'oreille de Fée Des Bêtises.

– Bien joué, Morgan !

Joffrey et Jenny cherchent toujours.

– Moi, je donne ma langue au chat, dit Joffrey.

– Moi non plus, je ne sais pas, fait à son tour Jenny.

– C'est simplement du vieux français, explique Fée Des Bêtises. Joffrey, note bien. Ça pourrait être important pour localiser les vrais parents de Jenny. Je traduis : « Si vous rencontrez ici ou là une dame qui a besoin d'aide ou une jeune fille sans secours, soyez tout prêts à les aider si elles vous en font la requête, car tout honneur en relève. »

– Ah..., lâche Morgan, qui n'a rien compris.

– Ça veut dire qu'il faut aider les jeunes filles qui sont dans la peine, sinon c'est qu'on n'a pas de cœur.

Joffrey bombe la poitrine, très fier de lui.

– Et justement, une jeune fille dans la peine, en voici une, ajoute Morgan en prenant le bras de Jenny.

– Bravo, les enfants ! Le parchemin dit qu'il faut aider Jenny, confirme Fée Des Bêtises.

– Je veux bien, moi, mais comment ? demande Joffrey.

– Nous ne savons toujours pas par où commencer pour trouver ses vrais parents, continue Morgan.

– Mais si, on sait par où commencer. Le parchemin est écrit en vieux français, la langue du Moyen Âge. C'est donc au Moyen Âge qu'il faut aller voir, conclut Fée Des Bêtises.

Jenny éclate de rire.

– Je ne suis quand même pas si vieille. Je ne crois pas que je suis née au Moyen Âge !

– Toi, non, mais comme tout le monde, tu as des ancêtres qui vivaient à cette époque, c'est évident ! réplique Joffrey.

– Hum ! Peut-être ! Mam... euh..., fait Jenny qui n'arrive pas à dire le mot « maman ». Catherine m'a dit que ce médaillon est dans la famille depuis longtemps...

– Commençons par tes ancêtres et remontons la piste jusqu'à toi, ajoute Morgan. Je suis prêt à y aller.

– C'est vrai ?! lui lance Jenny. Tu ferais ça pour moi ?!

Et comme son ami hoche la tête, très sûr de lui, elle retire son foulard rouge et le lui noue autour du bras.

– Morgan, tu es mon chevalier ! Je te charge de retrouver mes ancêtres et de découvrir ma vraie famille.

CHAPITRE 2

Morgan sort de sa poche son précieux calepin qui contient les pluriels rigolos et magiques. Lorsque les mots sont prononcés, ils s'échappent lettre par lettre pour former l'expression dans les airs et ainsi activer les pouvoirs de Fée Des Bêtises.

– Es-tu prêt, Morgan ? demande la magicienne.

Elle sourit, puis remonte les manches de sa vieille redingote tout usée.

– Allez, suis-moi ! On y va !

La fée donne ses dernières recommandations à Joffrey et à Jenny :

– Si quelqu'un cherche Morgan, dites seulement qu'il est allé à la bibliothèque... Nous y filons tout de suite !

Fée Des Bêtises sort de la cabane. Morgan la suit, mais en gardant ses distances. Personne ne doit jamais savoir que la vieille dame s'est liée d'amitié avec les enfants ; c'est leur secret. Tandis que Fée prend un raccourci, Morgan passe par la rue principale du village.

Dès qu'elle arrive derrière la bibliothèque, la magicienne dessine sur le mur une porte magique qui lui permettra de pénétrer dans l'édifice sans être vue.

Morgan, lui, entre par la porte principale. Il pousse le tourniquet et salue la bibliothécaire. Tout le monde doit croire qu'il est à la bibliothèque. Il ne faudrait surtout pas que quelqu'un le soupçonne de vouloir faire un bond dans le passé.

Quelques minutes plus tard, Fée Des Bêtises et Morgan se retrouvent dans la section « Histoire ancienne ». Personne à l'horizon. Cette section n'est que peu fréquentée. Ça se voit : les livres sont recouverts d'une épaisse couche de poussière.

– Atchoum ! fait Morgan.

– Chut ! lui lance la bibliothécaire de l'autre bout de la salle.

Fée Des Bêtises retire un livre de la seconde étagère. Aussitôt, le meuble bascule vers l'arrière et dévoile un passage secret plongé dans le noir.

La magicienne interroge son jeune compagnon :

– Donne-moi le pluriel de « fée » !

Morgan ouvre son carnet. La phrase de départ est inscrite sur la première ligne.

–Des siennes! UNE FÉE... DES SIENNES*, murmure-t-il. Une à une les lettres s'envolent droit devant eux.

Morgan et Fée Des Bêtises s'engagent dans le passage secret. Derrière eux, un petit vent frais balaie la bibliothèque. Quelques feuilles de papier volettent çà et là. Le mur se referme. La bibliothécaire n'a rien remarqué.

De l'autre côté, Morgan est aussitôt pris de vertige. Il est emporté par une spirale lumineuse. En entrouvrant les yeux, il aperçoit brièvement une calèche tirée par des chevaux, et des messieurs portant des hauts-de-forme. Mais la spirale l'emporte toujours plus loin. Il croit voir un duel de mousquetaires, mais déjà la vision s'éloigne. La chute dure longtemps. Morgan a

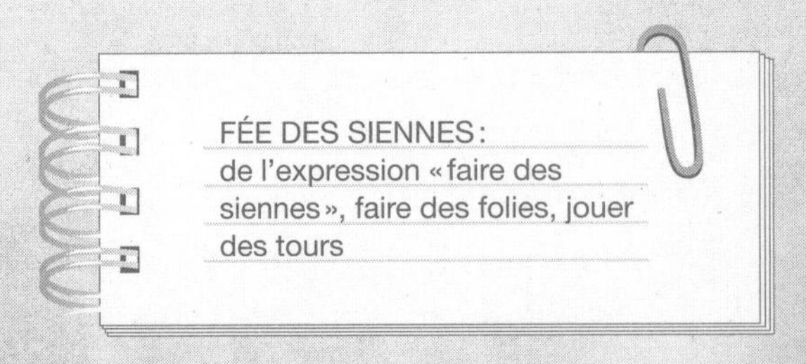

l'impression de voler dans un nuage de brume aussi doux que du coton, aussi léger qu'une **aigrette** de pissenlit.

Enfin, il ouvre les yeux pour de bon. Il est allongé dans l'herbe fraîche d'un pré. Son pantalon s'est transformé en **chausses** blanches. Son blouson de cuir a été remplacé par un **surcot** bleu azur et or. Il a vraiment l'air d'un écuyer de neuf ans du Moyen Âge.

Fée Des Bêtises est assise près de lui. Elle ressemble à une princesse avec sa **cotte** bleu pâle et son surcot rouge. Ses cheveux sont remontés en macarons sur ses oreilles et, sur la tête, elle porte un superbe **touret** de soie blanche maintenu par une **mentonnière** de dentelle.

Morgan la dévisage. Elle ne ressemble plus du tout à la clocharde qu'il connaît.

– Tu es si belle et si jeune ! Le nom de Fée te va comme un gant, maintenant.

Elle rit et le remercie du compliment.

Morgan se lève. Il remarque qu'une rivière assez large les sépare du reste de la campagne. Ils ont atterri sur une petite île. Malheureusement, la rivière semble profonde, et Morgan n'est pas un très bon nageur. Et puis, il n'a pas du tout envie de mouiller son beau costume.

Soudain, la panique l'envahit. Il tâte ses cuisses. Son collant n'a pas de poches, et c'est dans la poche de son jean qu'il avait glissé son carnet de phrases amusantes destinées à maintenir les pouvoirs de Fée Des Bêtises. Un instant, la peur le submerge. Finalement, il découvre une bourse de velours accrochée à sa ceinture. Il la tâte. Ouf ! c'est plein. Il l'ouvre et prend le calepin dans sa main. C'est bon, les expressions rigolotes sont là.

Mais lorsqu'il relève les yeux, une autre surprise l'attend : Fée Des Bêtises a disparu. Il l'appelle. Aucune réponse. Il n'en revient pas. Fée Des Bêtises l'aurait-elle abandonné ainsi, sur une île, en plein cœur du Moyen Âge ? Il entend tout à coup une grosse voix qui l'interroge :

– Hé, **damoiseau**, que fais-tu là ?

Morgan regarde à droite, à gauche et même derrière lui. Il cherche une dame-oiseau !

« C'est un volatile que je ne connais pas, se dit-il. Sans doute un oiseau connu seulement des gens qui vivaient au Moyen Âge, une sorte d'animal fantastique, ou encore une espèce qui a disparu à mon époque. »

– Hé, damoiseau, c'est à toi que je parle ! continue la voix qui semble venir de la rivière.

Ne voyant aucune dame-oiseau aux alentours, Morgan songe que c'est peut-être à lui qu'on s'adresse. Il se penche entre les joncs et scrute la rivière. Son regard s'arrête sur une barque dans laquelle se trouve un pêcheur qui le dévisage.

– Alors, Morgan, tu vas bien ?

Entendant cet étranger l'appeler ainsi par son nom, Morgan manque de tomber la tête la première dans l'eau. Il connaît cette voix. Il éclate de rire. Le pêcheur n'est autre que Fée Des Bêtises en personne.

– Pourquoi t'es-tu déguisée ? lui demande Morgan en retirant ses **poulaines**, prêt à se jeter à l'eau pour rejoindre la barque.

– N'avance pas, l'avertit Fée Des Bêtises. À partir de maintenant, tu vas devoir te débrouiller tout seul...

Morgan agite son carnet.

—Mais non, regarde ! J'ai mon calepin. Tu ne risques pas de perdre tes pouvoirs magiques.

Cependant, Fée Des Bêtises ne s'approche pas de la berge.

—Je ne peux pas me servir beaucoup de mes pouvoirs. Je dois demeurer très discrète. Ici, c'est le royaume de Merlin l'Enchanteur.

—Oh, tant mieux ! Avec ton aide et celle de Merlin, je suis certain de retrouver les ancêtres de Jenny très vite. Approche !

—Tu ne comprends pas, Morgan. Merlin ne t'aidera pas. Au contraire. Il veut me capturer, crie Fée en donnant un coup de rame pour s'éloigner un peu plus.

—Quoi ?! Mais Merlin est gentil ! Il est toujours prêt à aider les jeunes écuyers...

—Il est amoureux de moi, lui lance Fée. Il veut que je vive avec lui. Je dois me cacher.

Fée appuie un peu plus sur ses rames. Sa barque s'écarte.

Morgan a une envie irrésistible de pleurer. Mais voilà, il a promis à Jenny d'être son chevalier. Un chevalier, ça ne pleure pas. Il s'essuie donc rapidement les yeux avec le morceau de tissu rouge qui lui entoure le bras. Il reconnaît le foulard que lui a offert Jenny, et cela lui redonne du courage.

Tandis que Fée Des Bêtises s'éloigne sur l'eau, Morgan prend conscience de la gravité de sa situation. Il est isolé sur une île, sans moyen de traverser l'eau qui l'entoure. Avant de disparaître, Fée lui lance cette phrase énigmatique :

– Pour traverser, prends le pont. À toi de le rendre visible !

– Il ne manquait plus que ça ! Un pont invisible ! grogne Morgan.

Cette fois, sa débrouillardise va être mise à rude épreuve. Il en veut un peu à Fée Des Bêtises de le laisser seul.

Il attend plusieurs minutes, mais comme elle ne revient pas, il doit se rendre à l'évidence : à moins qu'il se retrouve réellement en danger, il ne peut plus compter sur son amie. Il regarde de tous les côtés et ne voit rien qui pourrait ressembler de près ou de loin à un pont. Il examine la berge. Aucune herbe brisée ou piétinée, rien. Ici, la nature n'a jamais connu la présence de qui que ce soit, être humain ou animal.

Que faire ? Il ne va quand même pas rester là à attendre que Fée Des Bêtises le ramène dans la cabane. Quelle honte ce serait de revenir bredouille auprès de Jenny! Il doit réfléchir et trouver ce pont.

Il s'étend sur la rive et mâchonne un brin d'herbe dans l'espoir de trouver l'inspiration.

« Je suis vraiment bête! » se gronde-t-il en se relevant.

Aussitôt, il ramasse des petits galets charriés par la rivière. Quand il en a plusieurs, il les jette devant lui. Peine perdue, aucun caillou ne rencontre d'obstacle invisible à l'œil nu. Pourtant, Morgan ne se décourage pas.

« C'est le seul moyen de trouver le pont invisible », se dit-il.

Il continue longtemps. Soudain, un caillou fait un « ping » étrange et demeure en l'air. Morgan écarquille les yeux. S'agit-il du fameux pont? Il lance plusieurs cailloux devant lui. Puis, prudemment, il avance, posant avec soin ses pieds sur les galets. Lentement, pour ne pas chuter du pont qui se précise sous ses pieds, il traverse la rivière. Il a l'impression que cela dure des heures, tellement la peur lui noue le ventre. Enfin, trempé de sueur, il arrive de l'autre côté.

« Aaaah! c'est difficile d'être le chevalier de Jenny! »

Épuisé, Morgan s'assoit au bord de la rivière et regarde d'un air triomphant le pont maintenant visible qu'il vient de franchir. Il se repose quelques instants, avant de se remettre en route.

Il souhaite se rendre au château le plus proche pour interroger les habitants sur les ancêtres de Jenny. Il a pris soin d'emporter le médaillon de son amie, le parchemin, ainsi qu'une photographie d'elle. Peut-être aura-t-il la chance de tomber sur quelqu'un qui lui ressemble…

CHAPITRE 3

Pendant des heures, Morgan marche dans la campagne. Ses pauvres poulaines sont en lambeaux et il sent des petits cailloux lui écorcher les pieds. Il est découragé. Depuis son départ, il n'a pas croisé âme qui vive. Des arbres, rien que des arbres. Une forêt immense, pleine de bruits étranges qui lui donnent la chair de poule. Heureusement, aucune bête ne s'est approchée de lui. Il a la frousse de se trouver face à face avec un sanglier. Et Fée Des Bêtises qui n'est pas là ! Non, vraiment, Morgan ne se sent pas très à l'aise.

Alors, pour se donner du courage, il chante. Il met en musique tout ce qui lui passe par la tête. Ça donne quelque chose de ce genre :

Perdu dans la grande forêt magique
Je voudrais être un sorcier magnifique
Et d'un coup de ma baguette de… noisetier
Les ancêtres de ma Jenny retrouver.

Soudain, Morgan se cogne à un objet métallique. Il relève la tête, et tombe à la renverse de stupeur. Il est arrivé devant une grille immense, tellement haute qu'il ne peut en voir la fin. Il frissonne. Il a l'impression que la grille l'entoure pour former une cage autour de lui.

Avec précaution, il avance la main. C'est du bon fer, bien solide, rien à faire pour le tordre. Pour ce qui est de passer entre les barreaux, ce n'est même pas la peine d'y songer. Ils sont bien trop rapprochés les uns des autres. Morgan se retourne vivement. Mais non, il ne rêve pas ! La grille l'encercle complètement maintenant. Il crie de désespoir. Il est bel et bien prisonnier. Son cri se change tout à coup en hurlement. Deux dragons furieux, crachant des flammes, courent dans sa direction. Il va finir rôti comme un poulet barbecue.

Soudain, Fée Des Bêtises se matérialise à ses côtés. Ouf! Elle tombe à pic, car il y a extrême urgence.

–N'aie crainte, mon petit! le rassure-t-elle. Vite, une phrase magique...

Elle n'a pas besoin d'insister; Morgan ouvre son carnet.

–On ne dit pas radeau, mais plutôt souris de rivière*! bafouille-t-il, tout tremblant.

Les lettres SOURIS DE RIVIÈRE se mettent à danser dans les airs.

Illico, la magicienne sort un extincteur miniature d'une de ses poches. Elle laisse les dragons s'avancer le plus près possible. Morgan sent la

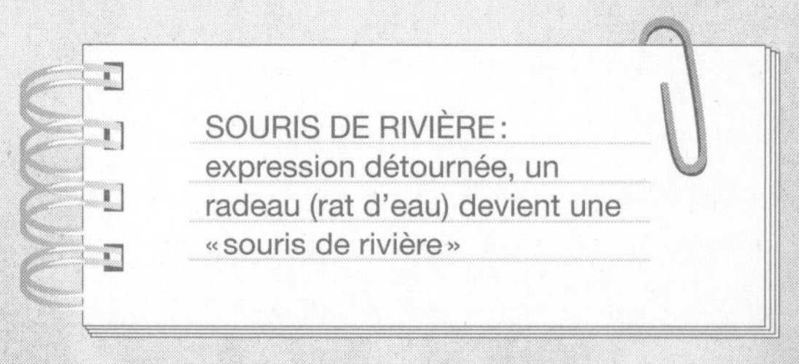
SOURIS DE RIVIÈRE: expression détournée, un radeau (rat d'eau) devient une «souris de rivière»

chaleur de leur feu sur son visage. À ses pieds, une touffe d'herbes part en fumée sous le jet de flammes d'un des monstres ailés. Morgan en frémit de peur. Le chemin que les dragons ont parcouru est jonché d'arbres et de fleurs calcinés. Elles sont vraiment très dangereuses, ces bestioles !

Morgan sourit en imaginant la tête que vont faire les dragons en recevant un jet de mousse dans la gueule. Mais son sourire disparaît lorsque Fée Des Bêtises lui tend l'extincteur et lui dit :

– Tiens-le bien comme ceci à l'envers, le bec vers eux. Attends qu'ils soient assez près, et là tu leur en envoies un bon jet à chacun.

Morgan tremble comme une feuille. Il a peur de manquer son coup. Mais la fée l'encourage :

– Allez, n'aie pas peur. C'est toi, le chevalier. C'est toi qui mènes la quête des ancêtres de Jenny. Tu peux y arriver ! crie-t-elle au moment où les dragons foncent sur eux.

Morgan place l'extincteur à travers les barreaux, appuie sur le bouton et... ferme les yeux.

Le hurlement de fureur des dragons et le cri de joie de Fée lui indiquent qu'il a réussi. Il n'en croit ni ses oreilles ni ses yeux. Pourtant, les dragons sont terrassés. Fée danse et rit; Morgan en fait autant. À cet instant, la grille se soulève toute seule. Le jeune visiteur a gagné le droit d'entrer dans le parc.

Fée Des Bêtises l'embrasse sur la joue pour le soutenir, mais aussi pour lui dire qu'elle doit absolument s'en aller. Morgan est triste de la voir partir. Cette épreuve prouve que sa quête est réellement périlleuse. Mais la magicienne disparaît après lui avoir fait un dernier signe de la main.

Morgan avance lentement sur le chemin noir de suie, résultat de la fureur des dragons. Il n'est pas très sûr de lui. Il s'attend toujours à tomber sur d'autres monstres issus de la baguette magique d'un méchant sorcier.

« Les chevaliers de la Table Ronde ont dû subir toutes sortes d'épreuves. Moi aussi, je saurai relever tous ces défis ! » se dit-il pour se donner du courage.

Enfin, le château est en vue. Morgan est convaincu que le seigneur de ce domaine va bien l'accueillir et répondre gentiment à ses questions. Mais dès qu'il s'approche de la forteresse, le découragement s'empare de nouveau de lui. Il n'y a aucun accès, le **pont-levis** est relevé, il ne peut pas entrer dans la citadelle. Et le pire de tout, les **douves** qui entourent le château sont remplies... d'huile bouillante. Quelle horreur !

« Ce n'est pas du tout comme ça que j'imaginais le Moyen Âge. C'est trop bizarre ici ! En tout cas, ça ne ressemble en rien à ce qu'a dit notre professeure, madame Lise Thoire ! Non... en rien ! »

Trop, c'est trop ! Morgan n'en peut plus. Il se laisse tomber sur un banc de pierre, devant la rivière d'huile qui bouillonne. Les bulles éclatent en « ploc-ploc » moqueurs, comme pour le défier.

Un rire profond retentit. Les pierres du château en tremblent. Là-haut, aux **créneaux**, se dresse un homme qui porte une tunique bleue et arbore une grande barbe blanche.

« Ah, voilà Merlin ! Quoi ? L'Enchanteur me nargue ! »

– Cher Merlin, pouvez-vous m'aider à franchir cette douve d'huile bouillante ?

– Comment ? Un valeureux chevalier comme toi ne peut se sortir de cette mauvaise situation tout seul ? s'exclame ce Merlin moqueur. Eh bien ! mon amie Fée Des Bêtises a trouvé un fiancé très peureux ! Quel mauvais choix !

– Je ne suis pas le fiancé de…, commence Morgan.

Mais, déjà, l'Enchanteur s'enroule dans sa cape pour disparaître.

– Tut, tut, tut ! Un fiancé froussard et pas très malin… Pauvre Fée Des Bêtises. Je dois la débarrasser de ce mauvais garçon…

Avant que Morgan ait pu protester, Merlin a disparu.

« Je dois trouver un moyen d'être plus rusé que Merlin, songe-t-il. Je suis sûr que c'est la seule façon de vaincre ses sortilèges. Que faire ? De l'huile bouillante, on ne s'en débarrasse pas aussi facilement. »

Tout à coup, Morgan se frappe le front de la main. Ce Moyen Âge-là est impossible. Donc, pour s'en sortir, il doit faire des choses qui sortent de l'ordinaire, tout à fait loufoques. Voilà le secret! Il doit se montrer aussi excentrique que cette époque étrange.

Il se concentre très fort, fait le vide dans son esprit et prononce trois fois le nom de Fée Des Bêtises. Aussitôt, elle se retrouve assise à ses côtés sur le banc de pierre.

– Tu m'as appelée ? lui lance-t-elle en jetant un œil anxieux aux créneaux du château.

Morgan suit son regard et la rassure :

– Il est parti ! Fée Des Bêtises, je vais lui briser son sort, à ce Merlin. Il faut absolument que tu me donnes une pomme de terre.

La magicienne le regarde, intriguée.

– J'ai une idée formidable. Même toi, tu n'aurais pu y songer ! déclare Morgan.

Fée fouille dans sa poche et en sort une carotte.

– Non ! Une patate. Il me faut une patate ! soupire Morgan.

Fée Des Bêtises lui donne la pomme de terre demandée.

– Couteau, s'il te plaît !

– Attends, j'ai mieux que ça !

Elle remet le tubercule dans la poche intérieure de son manteau et, d'une poche extérieure, elle sort un sac rempli de bâtonnets de pomme de terre.

Comment a-t-elle pu deviner que c'est exactement ce que son ami voulait ? Des frites !

– Ha ! ha ! Merlin ne va pas apprécier qu'on se moque de lui, rigole Fée Des Bêtises.

Morgan plonge les frites dans la rivière d'huile bouillante. Un grésillement se fait entendre, suivi d'un grondement de colère. C'est Merlin qui rage.

Le pont-levis descend alors dans un grincement de chaînes rouillées. Morgan n'est pas rassuré. Ses épreuves ne sont pas terminées, il en est convaincu. Quel mauvais sort Merlin l'Enchanteur peut-il encore lui jeter ?

– Bravo Morgan, le félicite la fée. En te moquant de Merlin, tu es parvenu à déjouer ce sortilège. Bien joué !

– Bon, maintenant allons-y ! Entrons dans ce château qui nous ouvre ses portes.

Escorté par Fée Des Bêtises, il entre dans la cour intérieure de la forteresse. Tous deux jettent un coup d'œil autour d'eux. Fée Des Bêtises n'en laisse rien paraître, mais elle est aussi surprise que Morgan de découvrir un géant de pierre, gourdin sur l'épaule, qui les regarde de ses yeux de diamant.

Cette époque est de plus en plus déstabilisante pour le jeune garçon.

Il tourne autour du géant pour l'observer sous toutes les coutures. Soudain, une voix caverneuse le fait bondir.

– Je suis le géant chargé de te poser la question qui ouvre la porte. Si tu ne réponds pas ou si tu le fais mal, tu te retrouveras à ton point de départ, sur l'Île enchantée.

– Ah, ça non ! J'ai déjà eu à surmonter deux épreuves pour arriver jusqu'ici ! proteste Morgan, planté devant le géant, les mains sur les hanches. Essaie un peu de me renvoyer là-bas, et tu vas voir...

Mais le géant se moque de ses menaces. Il reste de pierre et formule son énigme :

– On peut m'enlever plusieurs lettres, pourtant ça ne me change pas. Qui suis-je ?

Morgan plisse le nez, tord la bouche. Il fixe le front de Fée Des Bêtises comme si la réponse allait y apparaître en lettres lumineuses. Il se sent glacé de la tête aux pieds. Il a si peur de retourner à son point de départ !

Mais soudain, la solution de l'énigme jaillit dans la tête de Morgan comme une lumière. Il espère seulement ne pas se tromper.

– Est-ce que je peux donner plusieurs réponses ?

La voix caverneuse retentit de nouveau :

– Une seule réponse, une seule réponse, une seule réponse...

– Bon, ça va ! On dirait un morceau de scratch de musique techno ! lance Morgan en se mordant le pouce.

« Pourvu que ce soit la bonne réponse. »

– Je dirais donc que c'est... euh... le facteur ! lâche-t-il très vite, les yeux fermés.

Il entend un grondement. Il est convaincu d'avoir été renvoyé sur l'Île enchantée. Il écarte légèrement les paupières et, là, ô miracle ! il constate que le géant de pierre a été pulvérisé. Un amas de cailloux fumants, c'est tout ce qu'il en reste. Morgan bat des mains et répète plusieurs fois, sur tous les tons comme un défi :

– Le facteur, le facteur, le facteur !

Puis il cherche des yeux Fée Des Bêtises pour partager avec elle sa joie d'avoir déjoué le géant. Mais il est seul. Une petite moue se dessine sur son visage parsemé de taches de son.

« Elle est vraiment douée pour apparaître et disparaître sans crier gare, cette Fée Des Bêtises », songe-t-il.

CHAPITRE 4

Morgan monte les quelques marches qui se dressent devant lui. Au bout, il voit une lourde

porte de chêne. Il se retourne pour jeter un dernier coup d'œil dans la cour. Il n'y a toujours personne. Il hausse les épaules et vient coller son oreille à la porte. Pas un bruit de l'autre côté. En levant les yeux, il découvre un papier maintenu par un **coutelas** planté dans le bois. Un court message y est griffonné, en bon français de tous les jours.

« C'est étrange ! se dit Morgan en retournant le message entre ses doigts. C'est pourtant un parchemin. »

Refusant de se laisser distraire par cette nouvelle bizarrerie, Morgan lit le message :

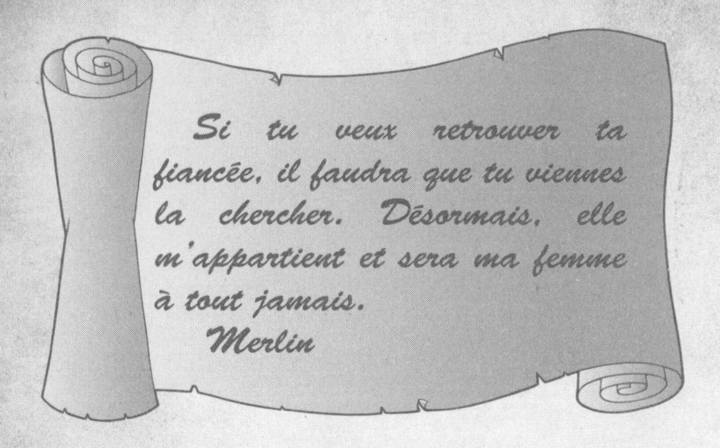

Si tu veux retrouver ta fiancée, il faudra que tu viennes la chercher. Désormais, elle m'appartient et sera ma femme à tout jamais.

Merlin

–Ah non, par exemple! Il commence à m'énerver, ce Merlin. D'abord, Fée Des Bêtises, c'est pas ma fiancée. Elle est bien trop vieille… Euh… pardon, je voulais dire: trop grande pour moi, s'excuse immédiatement Morgan, comme si la magicienne pouvait l'entendre.

Et justement, Fée Des Bêtises l'a parfaitement entendu. Elle est prisonnière, mais pas sourde.

Merlin a réussi à la capturer parce que ses pouvoirs avaient diminué au moment où elle se demandait comment aider Morgan à déjouer le géant. Un grand sourire fendait la barbe du magicien, ses grands yeux riaient. Il mijotait quelque chose. Un mauvais tour, assurément.

Morgan ne s'est aperçu de rien, et Fée Des Bêtises n'a pas eu le temps de réagir. Merlin a commencé à lui chanter une berceuse féerique. Une de celles qui endorment ceux qui n'ont pas de pouvoirs magiques. En quelques secondes, l'Enchanteur avait accompli son forfait.

Endormie, Fée Des Bêtises l'a suivi comme une somnambule. Merlin l'a conduite dans une **oubliette** du château. Sans ses pouvoirs magiques, comment peut-elle sortir de ce trou ?

Merlin lui a même permis de suivre de loin les aventures de Morgan. Il projette des images du garçon sur les murs dégoulinant d'humidité du château.

L'Enchanteur est tout content de son tour de force. Bientôt, il pourra épouser sa dulcinée. Il connaît très bien Fée Des Bêtises, car elle vient de temps en temps mesurer ses pouvoirs magiques aux siens, lorsqu'elle s'ennuie dans son monde moderne. Mais, cette fois, elle ne pourra pas y retourner de sitôt.

Merlin se félicite de sa prise en se frottant les mains. Cependant, comme il n'est pas si méchant que cela et qu'il aime surtout jouer des tours, comme tous les magiciens, il a décidé de donner à

Morgan la possibilité de récupérer sa fée préférée. C'est pour cette raison qu'il lui a adressé un message. Celui que le garçon vient de découvrir, accroché sur la porte du château. C'est un défi qu'il lance à Morgan. Que le meilleur gagne !

Le parchemin roulé en boule dans la main, Morgan tambourine contre la porte de chêne. Celle-ci s'ouvre enfin... sur un mur. Encore ! Le long de ce mur, une corde lisse descend.

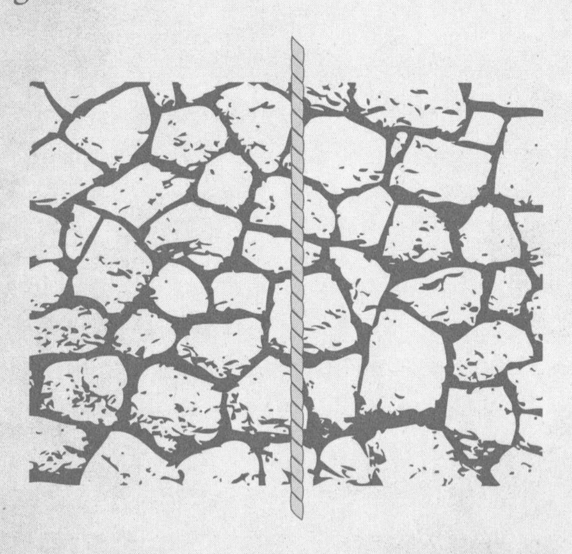

Pas besoin de longues explications. Morgan doit escalader la paroi. Pour lui qui n'est pas très sportif, c'est une épreuve très difficile. Si Joffrey était là, lui, il grimperait ce mur comme l'homme-araignée. Mais pour Morgan, c'est plus compliqué. Pourtant, il n'a pas le choix. Il doit libérer Fée Des Bêtises et poursuivre sa mission.

Il crache dans ses mains et empoigne la corde au-dessus de sa tête. Il se met à tirer de toutes ses forces. Son corps se soulève. Ses pieds entourent la corde, et il se hisse doucement. Il est à peine à un mètre du sol lorsque ses mains le trahissent et se desserrent. Il se retrouve sur le derrière, à son point de départ. L'ascension ne sera pas facile. Et cette petite chute fait plus de mal à son orgueil qu'à ses fesses.

Il enlève la poussière de ses vêtements avec ses mains et fixe la corde.

« C'est pas une petite corde de rien du tout qui va m'arrêter, quand même ! »

Il s'élance. Centimètre par centimètre, il grimpe, les mains fermement serrées. Il n'ose regarder la distance parcourue ; il a toujours eu le vertige. Ses mains le brûlent ; son cœur vibre de frousse ; ses pieds glissent. Vite, que le sommet arrive ! Morgan est sans force. Mais il tient bon.

Soudain, ses doigts tâtonnent le vide au-dessus de lui. Il lève lentement les yeux. Il est arrivé au sommet où la corde est fixée par un crochet de fer. Un « ouf ! » de soulagement surgit de sa poitrine. Passant la jambe droite par-dessus le créneau, Morgan prend enfin pied en haut des **remparts**. Ses jambes sont en coton. Il doit s'asseoir pour retrouver son calme et reprendre son souffle.

Cependant, il n'a guère le temps de se reposer. Une espèce d'épouvantail vêtu de boîtes de conserve se dresse devant lui. Une voix métallique sort de cet amas de ferraille :

– Je suis le Chevalier de la Tour. Pour passer, tu dois me vaincre.

Morgan ne sait plus que dire. Il n'a plus la force de protester.

Le chevalier s'approche d'un grand livre qui repose sur un lutrin, juste devant un escalier qui mène à l'intérieur de la forteresse.

– Première question : comment conjugues-tu le verbe « assiéger » à la deuxième personne du pluriel, au passé simple ?

Le Chevalier de la Tour se retourne vers Morgan. Ce dernier est bouche bée.

« Un examen de français ?! Je rêve ! C'est ça, je rêve ! Ou alors, j'ai pris un coup sur la tête ! »

– Alors, ça vient ? lui lance le chevalier. Si tu renonces, tu retournes directement sur l'Île enchantée.

Morgan sursaute.

– Quoi ? Ça va pas, non ! Attends une minute. Tu dis : le verbe « assiéger » à la deuxième personne du pluriel, au passé simple. Hum ! hum !

– Tu te dépêches ? grince le chevalier, dont l'armure résonne comme une casserole à chaque mouvement.

– Voilà, pas de panique ! C'est... euh... « vous assiégeâtes ». Ha ! ha ! Ça t'en bouche un coin, ma vieille marmite rouillée, hein ? s'écrie Morgan, très fier de lui.

– Rigole pas trop fort, mon petit. J'ai une seconde question pour toi !

Le chevalier émet un rire aigrelet en voyant la mine bien basse du garçon.

– C'est le jeu des lettres mélangées !

– Chouette ! Je suis pas mal calé à ce jeu-là ! se moque Morgan.

– Nous allons voir ça ! Trouve donc le mot qui se cache sous ces lettres :

E, R, L, B, H, T, I, A, Y, N.

–Oups ! s'exclame Morgan en se grattant le sommet du crâne.

Il réfléchit quelques secondes, puis écrit les lettres dans son calepin.

–Mais oui, c'est évident ! Ces lettres sont celles du mot « labyrinthe ».

Une à une, les lettres se mettent à tourbillonner devant ses yeux et se placent.

À ce moment-là, Morgan se sent soulevé et

projeté dans l'escalier par un vent puissant. Mais il ne tombe pas ; il flotte au-dessus des marches. Pendant un bref instant, il sent son ventre se tordre de crainte, mais, voyant qu'il ne risque absolument rien, il finit par trouver cette dégringolade très drôle.

Puis la chute ralentit. Morgan atterrit en douceur sur un sol de terre battue, devant une grille rouillée contre laquelle est appuyé un garde armé d'une **hallebarde**, mais somnolant.

Retrouvant vite ses esprits, Morgan essaie de se faufiler sans réveiller le garde dont les ronflements s'accentuent.

CHAPITRE 5

Délicatement, Morgan avance le pied droit dans l'entrebâillement de la grille. Son corps se penche en avant, lentement, très lentement. Il retient son souffle. Il a presque réussi à passer quand son pied gauche heurte la hallebarde. L'arme tombe sur le sol dans un bruit d'enfer. L'écho en résonne longtemps sous les voûtes du souterrain.

Évidemment, cela réveille le garde en sursaut. Son **plumet** vert lui fouette le visage. Il éternue. Enfin, apercevant Morgan, il se redresse, l'attrape par le collet et le soulève.

Morgan, qui voudrait bien prendre ses jambes à son cou, pédale en l'air. Le garde le repose sur le sol et repousse la grille qui grince en se fermant.

– Où cours-tu ainsi, galopin ?

Le garde entortille le bout de sa grosse moustache noire autour de son doigt.

– Euh... je suis le fils du seigneur... Je cherche ma grande sœur... Fée Des Bêtises, improvise rapidement Morgan.

– Le fils du seigneur ?!

Le garde soulève de nouveau Morgan à la hauteur de son nez pour mieux l'examiner.

– Eh bien, il est temps qu'il revienne, ce seigneur, car voilà vingt ans qu'il a quitté ce château hanté.

– Oui, il revient et il m'a envoyé en éclaireur, continue Morgan, espérant que le garde va le croire sur parole.

– Si tu es réellement le fils du seigneur, tu sais que tu dois me faire rire pour que je te laisse passer. Allez, vas-y, fais-moi rire !

« Hou là là, ça se complique ! Comment faire rire un garde qui ne semble pas du tout avoir le sens de l'humour ? »

La sentinelle continue de le reluquer du coin de l'œil. Morgan doit faire vite, s'il ne veut pas finir dans un cachot.

– Savez-vous comment un chat fait pour aboyer ? demande-t-il au garde.

– Ça n'aboie pas un chat ! répond le moustachu.

– Mais si je lui donne une tasse de lait, vous verrez qu'il aboira, dit Morgan avec un sourire fendu jusqu'aux oreilles.

Mais le garde ne bronche pas.

– Il la boira. Du verbe boire, tente d'expliquer le jeune garçon.

Le garde n'a pas l'air de comprendre. Morgan est consterné. Sa blague est vraiment tombée à plat. Il doit vite en trouver une autre.

« Je me demande pourquoi c'est toujours quand on veut raconter une histoire drôle qu'on est incapable de s'en rappeler une ? »

– Tu n'es pas le fils du seigneur, et tu ne sais pas me faire rire non plus ! Alors, que fais-tu là ? l'interroge le garde d'un ton bourru.

– Si, si, je peux te faire rire, attends ! Celle-là, tu vas l'aimer ! Je suis un garçon du vingt et unième siècle !

La phrase de Morgan reste en suspens ; le garde n'a même pas l'air étonné.

– Tu ne trouves pas ça drôle ? ! s'énerve Morgan. Je te dis que je viens du vingt et unième siècle et tu trouves ça normal, peut-être ?

Le garde retient un pouffement. Mais il lui en faudrait quand même un peu plus. Ce garçon commence à lui plaire ; il a bien envie d'écouter son histoire.

– Allez, continue, tu m'intéresses !

Le garde appuie sa hallebarde contre la grille rouillée. Puis il s'assied sur le sol de terre et fait signe à Morgan de s'installer près de lui.

– Bien, voilà ! Je viens du vingt et unième siècle et je cherche les ancêtres de ma copine Jenny. C'est mon amie Fée Des Bêtises qui m'a emmené ici parce qu'elle dit que le parchemin qu'on a trouvé a été écrit à cette époque...

Morgan a si hâte de tout raconter que ses propos sont un peu confus. D'ailleurs, le garde trouve que cette histoire n'a ni queue ni tête. Il éclate franchement de rire. Ce garçon lui plaît beaucoup, en fin de compte. Il a tellement d'imagination que c'en est fort drôle. Et c'est ainsi, en disant simplement la vérité, que Morgan réussit

HA! HA! HA! HA!

à faire rire un garde plutôt grognon qui attend le retour de son maître depuis vingt ans.

La grille grince très fort lorsque le moustachu la pousse. On voit bien que ça fait longtemps que personne ne l'a ouverte. Le garde attrape une torche accrochée au mur et la tend à Morgan en lui souhaitant bonne chance.

Puis il tortille encore sa grosse moustache, pose sa hallebarde et s'appuie de nouveau à la muraille. Il recommence à somnoler. Tout est rentré dans l'ordre.

Morgan s'avance doucement dans le souterrain en s'éclairant avec la torche. Les murs suintent. Tout à coup, le garçon se fige. Quelque chose est passé entre ses pieds. Il baisse la torche pour regarder le sol, mais ne voit rien. Un bruit, un effleurement, ça court près de lui. Il s'accroupit et éclaire devant. Une famille de rats traverse le souterrain. Morgan sent des gouttes de sueur lui glisser le long de l'échine. Il a toujours eu horreur des bestioles de toutes sortes. Et voilà que cet endroit est infesté de rats ! Il sent sa volonté faiblir. Il n'aura jamais le courage de continuer.

Alors que des larmes commencent à mouiller ses joues, Morgan remarque un minuscule rat qui peine à suivre sa famille. Le pauvre petit semble perdu. Le garçon hésite, se penche et prend la bête entre le pouce et l'index. C'est un raton tout blanc, recouvert d'un duvet pâle.

« Hum ! si je le laisse ici, tout seul, il va mourir ! »

Morgan regarde autour de lui, mais ne voit aucun endroit sécuritaire pour y laisser le bébé. Alors, il le glisse dans sa bourse. Il reprend sa marche en regardant bien où il met ses pieds. Tout à coup, il croit entendre une voix. Oui, il entend une voix. Dans sa tête. Celle de son amie Fée Des Bêtises.

–*Continue. Tu y es presque. Ce n'est pas le moment d'abandonner. Tu as déjà surmonté toutes les difficultés.*

Morgan respire profondément, avale sa salive et poursuit son chemin en marchant avec plus de conviction. Pourtant, il ressent une étrange impression, comme si des milliers d'yeux le regardaient. Il lève sa torche. Au plafond, des chauves-souris accrochées par les pattes, tête en bas, le fixent de leurs petits yeux malicieux. Morgan a froid, très froid. C'est le froid de la peur qui glisse en lui.

Une chauve-souris se détache de la voûte et vient faire un vol plané au ras de sa tête. Morgan sent ses cheveux se hérisser. Ses paumes sont trempées, et la torche glisse de ses mains. Il la serre plus fort, à s'en faire mal aux doigts.

Finalement, il arrive devant une autre porte. Un instant, son cœur cesse de battre. Et si elle s'ouvrait sur une autre épreuve ? Morgan hésite. Il jette alors un coup d'œil derrière lui. Le chemin est totalement plongé dans le noir. Il pense aux chauves-souris, aux rats, et il se trouve bien courageux.

« Ce qu'il y a derrière cette porte ne peut pas être pire que ce que je viens de traverser. »

Il ouvre enfin la porte et demeure un instant sur le seuil, abasourdi. Il vient de découvrir une chambre très éclairée. Des voiles de **tulle** pâle pendent du plafond. Un grand lit à **baldaquin** semble l'appeler. Morgan avance en regardant de tous les côtés. Une odeur d'encens parfume la pièce. Ses pieds fatigués s'enfoncent dans une peau d'ours qui sert de tapis. Des vases remplis de jolies fleurs fraîches égaient la chambre. Le garçon se croit au paradis.

Il s'approche du lit, le tâte. Le matelas est superbement moelleux. Comme personne ne vient et qu'aucun nouveau défi ne se présente, Morgan s'y étend. Épuisé par toutes ses aventures, il s'endort au son harmonieux et apaisant d'une harpe qui enchante ses oreilles.

CHAPITRE 6

Le garçon dort à poings fermés. Un craquement se fait entendre dans la cheminée. Dans son sommeil, Morgan perçoit ce bruit, mais il ne se réveille pas. La cheminée pivote sur sa base. Un petit être difforme, vêtu d'un chapeau rouge et d'un costume bleu, montre son nez. C'est un gnome. S'accrochant comme il le peut, il tente de se hisser sur le lit. Mais un drap de satin, ça glisse ! Il doit s'y reprendre à plusieurs reprises.

Morgan sent quelque chose tirer sur l'étoffe, mais il est incapable d'ouvrir les yeux. Il remonte le drap sous son menton. Ce faisant, il hisse le lutin avec le tissu, et le gnome se retrouve sur le lit.

Le petit personnage s'approche du visage de Morgan et se met à lui faire d'horribles grimaces. Peine perdue, l'aventurier dort d'un sommeil de plomb. Comme il n'y a rien à faire pour le réveiller, le lutin s'allonge à son tour pour piquer un petit roupillon.

Brusquement, des cris, des bruits de chaînes, des hurlements même entrent dans la chambre par le trou de la cheminée. Effrayé, le gnome bondit sur ses petites jambes. Morgan se retourne, mais ne se réveille toujours pas. Le farfadet est très surpris. Cet enfant a le sommeil profond !

Maintenant, un courant d'air balaie la chambre. Les voiles de tulle se balancent. Un vase se renverse. Les poils de la peau d'ours se hérissent. Le gnome plonge sous les draps. Une forme translucide traverse la pièce. Un fantôme ! Le lutin claque des dents. Mais Morgan, lui, ronfle toujours.

Le spectre pousse quelques « bouh-bouh », histoire de faire peur au garçon qui est couché

dans le lit. Il peut bien hurler dans le vide. Morgan remue à peine.

Le gnome, lui, est saisi. Il n'a jamais vu ça. Tous ceux qui ont essayé de dormir dans cette pièce ont décampé, terrifiés, à la première manifestation anormale. Car, dans ce château hanté, cette chambre est réputée : le sommeil des meilleurs chevaliers y est toujours troublé. Mais, là, il n'y a vraiment rien à faire : l'enfant dort comme une souche.

Prenant appui sur l'oreiller, le gnome dévisage Morgan avec intérêt. Puis, heureux de voir qu'il ne s'est pas enfui de la chambre mystérieuse, il se glisse par l'ouverture de la cheminée. La chambre redevient calme.

Morgan dort paisiblement le reste de la nuit.

Quelques heures plus tard, frais comme une rose, il s'étire de tout son long. Ce petit somme lui a fait le plus grand bien. Il se sent en pleine forme. Son regard parcourt la pièce. Il remarque le vase renversé, mais ne se pose aucune question. Il se lève et s'approche d'une petite table qui a attiré son attention. Dessus, il y a du poulet froid, du pain, une cruche d'eau et même une belle galette. Comme la faim le tenaille, il ne fait ni une ni deux et enfourne le repas.

« Après tout, se dit-il, il n'y a aucun seigneur dans ce château, alors je ne vois pas qui pourrait surgir pour me reprocher d'avoir tout avalé. Merlin a dû avoir pitié de moi et m'a fait ce petit cadeau. »

Après ce bon repas, Morgan se dit qu'il est temps de reprendre sa route. Où qu'elle soit dans le château, Fée Des Bêtises compte sur lui. Il ouvre une autre porte que celle par où il est entré. Un grand couloir éclairé de nombreuses torches se trouve devant lui. Aux murs sont suspendus plusieurs beaux portraits, mais aucun des personnages ne ressemble à Jenny. Le garçon hausse les épaules, un peu déçu. Il y a aussi de belles armures qui montent la garde. Morgan n'ose y toucher, mais il trouve cet équipement fabuleux.

« J'aimerais bien en posséder une comme ça ! »

Le couloir débouche dans une grande pièce : la salle à manger. Morgan voit une immense table de bois, encadrée de deux bancs. Des **écuelles**, des cuillères, des pichets vides la recouvrent. Tout cela n'a pas été utilisé depuis bien longtemps. De la poussière s'y est accumulée avec les années.

Morgan jette un coup d'œil circulaire dans la pièce. Une grosse cheminée de pierre ouvre sa gueule béante. Il frissonne. Il ne fait pas très chaud dans cette forteresse.

Soudain, sous ses pieds, Morgan entend une sorte de cognement. Il sursaute. Le bruit persiste. Le jeune aventurier se met à genoux et roule le tapis. Le coin d'une trappe apparaît, dépassant d'un énorme coffre de bois et de fer. Morgan s'adosse au coffre et le pousse fortement avec son dos. Mais c'est tellement lourd qu'il croit bien ne jamais réussir à le bouger. Toujours assis, il plie la jambe droite et, se donnant un bon point d'appui, il pousse encore de toutes ses forces. Le coffre glisse de quelques centimètres. Dessous, le cognement se fait plus précis. Morgan continue de pousser. Après bien des tentatives, il réussit à dégager la trappe. Il la soulève avec méfiance.

Son cœur fait une cabriole dans sa poitrine : il vient de découvrir une oubliette. Il se penche pour mieux voir l'intérieur plongé dans l'obscurité, mais une voix le fait bondir en arrière.

– Coucou, je suis là !

Morgan se penche de nouveau. C'est la voix chevrotante de son amie!

Hum! Fée Des Bêtises n'a plus du tout l'air d'une jeune et jolie princesse. Son surcot rouge est redevenu une vieille redingote de mendiante. Ses mitaines effrangées couvrent des doigts abîmés aux ongles cassés. Ses cheveux gris et ternes pendent sur ses frêles épaules. Malgré son air misérable, Morgan a toujours trouvé que Fée Des Bêtises est la plus jolie des sans-abri, la plus gentille des amies, la plus magnifique des magiciennes.

–Je vais te faire sortir de là, n'aie crainte! Un petit pluriel amusant et le tour est...

Il ne finit pas sa phrase. Sa main posée sur sa ceinture ne rencontre que le vide. Sa bourse n'est plus là. Il regarde autour de lui, se tâte, rien.

–Fée... j'ai... ai... ai... ai... perdu le cal... le cale... pin! fait-il en gémissant.

Fée Des Bêtises est consternée. Comment pourra-t-elle sortir de ce trou si elle n'est pas en mesure d'utiliser ses pouvoirs magiques?

–On va se débrouiller, mon petit Morgan! Regarde bien autour de toi. Ne vois-tu rien que tu pourrais utiliser pour fabriquer une solide corde?

En entendant le mot « corde », Morgan se revoit en train d'escalader le mur du château. S'il avait pu prévoir la suite des événements, il aurait emporté cette corde.

– J'espère que ce n'est pas en grimpant la muraille que j'ai perdu ma bourse. Refaire tout le chemin en sens inverse est impossible. Non, vraiment, je n'ai pas envie de revivre toutes ces choses. Le chevalier de ferraille à déjouer, le garde à faire rire, les chauves-souris, les rats...

« Les rats ?! Misère ! Mais oui ! J'ai mis le raton dans ma bourse ! Est-ce qu'il aurait tout rongé ? »

C'en est trop, Morgan éclate en sanglots.

– Morgan, arrête de pleurer sur ton sort. Ouvre grand tes yeux et cherche un moyen de me sortir de là ! le gronde doucement Fée Des Bêtises du fond de son puits.

Ce reproche le tire de ses pensées. Se mordillant les lèvres, il fouille la pièce des yeux. Il y a bien le tapis, mais il faudrait le déchirer en bandelettes, et c'est impossible. Il est bien trop épais pour qu'on en fasse une corde, à moins de l'effilocher. Morgan en aurait pour des siècles.

Il se lève et se dirige vers une armoire. Il espère y dénicher une nappe ou un drap. Malheureusement, le meuble est vide. Les tentures des fenêtres sont elles aussi beaucoup trop épaisses. Il faut qu'il trouve quelque chose qui se déchire facilement, mais qui soit quand même assez solide pour supporter le poids de son amie.

Ayant inspecté toute la pièce, Morgan doit avouer que c'est peine perdue. Rien, ici, qui ressemble à une corde. Il s'affale, désespéré, sur le coffre de bois et de fer qu'il a eu tant de mal à déplacer. Il va devoir annoncer à Fée Des Bêtises qu'il n'a rien trouvé.

Et si, par hasard ?... Il ouvre le coffre. Et là, ô miracle ! il découvre une belle corde bien solide enroulée sur elle-même.

« C'est quand même bizarre ! C'est comme si quelqu'un voulait m'aider en cachette », se dit-il en la déroulant.

Comme la table semble assez lourde, il accroche une extrémité de la corde à une patte, et il laisse pendre l'autre bout dans le trou. Puis il croise les doigts en attendant que Fée Des Bêtises remonte.

Son amie pose finalement le pied sur le plancher de la salle à manger, et Morgan pousse un gros soupir de soulagement. Ils se jettent dans les bras l'un de l'autre, se donnant de grandes tapes amicales dans le dos.

– Ah, mon ami, comme tu es intelligent ! Merci beaucoup !

– Tu sais, la corde était là, je n'ai fait que m'en servir, réplique humblement Morgan, un peu gêné de passer pour un héros sans raison.

– Je ne dis pas ça pour la corde, mais pour toutes les épreuves que tu as traversées. Je pouvais te voir du fond de mon oubliette. Merlin m'a permis de suivre tes exploits...

– Parlant de Merlin, on devrait peut-être filer ! N'oublie pas que tu n'as plus de pouvoirs magiques, fait Morgan en tirant Fée Des Bêtises par la main.

– Tu as raison, il faut vite retrouver cette bourse. Je me demande bien où tu as pu la perdre. Je ne l'ai pas vue tomber !

– C'est étrange. Si elle était tombée, je l'aurais sûrement entendue. Mon calepin aurait fait du bruit sur le sol de pierre.

– Peut-être est-elle restée dans le lit où tu as dormi ! Reprenons le chemin que tu as emprunté, on finira bien par la trouver…

– D'accord, je veux bien aller dans la chambre, mais je n'ai pas envie de retourner dans le souterrain plein de ces affreuses bestioles. Si la bourse est tombée après que j'ai mis le raton à l'intérieur… Brrr ! non, je ne pourrais pas supporter ça une deuxième fois !

Morgan baisse la tête ; il a un peu honte de sa frousse. Mais il n'y peut rien. Il ne veut pas éprouver de nouveau cette peur.

– Allons fouiller le lit ! Si elle n'est pas là, on avisera à ce moment-là, déclare Fée Des Bêtises, prenant la direction des opérations.

Les deux amis sortent de la salle à manger et traversent la galerie des portraits et des armures en sens inverse, jusqu'à la chambre.

Une fois là, ils se précipitent sur le lit qu'ils mettent sens dessus dessous. Mais rien, pas la moindre trace de la bourse. Alors qu'ils sont assis, découragés, sur le lit, un rire roucoulant les fait sursauter. Qui peut bien se moquer d'eux avec cette petite voix ?

La cheminée pivote sur sa base. Un minuscule chapeau rouge apparaît, puis une petite face moqueuse et ratatinée. Le gnome rigole, rigole, rigole.

CHAPITRE 7

Morgan regarde le lutin d'un air ahuri. Il n'a jamais vu un être pareil, ni si petit. Le gnome n'est pas plus grand qu'un doigt. Il a par contre un bon bedon bien rebondi. Fée Des Bêtises, elle, semble trouver cette apparition tout à fait normale. En tant que magicienne, elle connaît tous les êtres surnaturels de ce monde. Le ricanement du gnome ressemble au petit cri d'une souris qui roulerait les « r ». C'est assez bizarre comme son.

Le garçon ouvre la bouche pour parler, mais le gnome rigole de plus belle en se tapant sur les cuisses. On le sait, le rire est contagieux. Quand le lutin se met à se rouler par terre en se tenant les côtes et en tapant des pieds, Morgan ne peut tenir un instant de plus. À son tour, il éclate de rire et se laisse tomber sur le dos sur le lit. Lui aussi rigole de bon cœur. Mais Fée Des Bêtises se retient. Elle sait que le gnome veut les contaminer avec son virus du rire. Elle ne veut pas rire pour le restant de ses jours. Son visage se fait plus sévère. Elle toussote pour s'éclaircir la voix et lance d'un ton sans réplique :

– Ça suffit !

Le rire du gnome se fige dans sa gorge. Seuls les gloussements de Morgan se font encore entendre quelques secondes, bien qu'il essaie de se retenir en mettant sa main devant sa bouche.

– Qu'est-ce qui te fait rire, petit bonhomme ? demande Fée Des Bêtises.

Elle pose sa main ouverte sur le sol de pierre, et le lutin s'y installe. Puis elle relève la main et amène le gnome à la hauteur de son nez pour lui parler en le regardant dans les yeux.

Le farfadet grimace un instant. Il sait bien que Fée est une magicienne. Le mensonge qu'il a sur le bout de la langue le démange. Mais il se retient. Mentir à une fée, c'est courir au-devant des pires ennuis.

– Vous formez un drôle de couple, l'enfant et toi ! dit-il.

Morgan pouffe. Mais Fée Des Bêtises lui décoche un tel regard qu'il retrouve vite son sérieux.

– Qui es-tu ? demande-t-il pour dire quelque chose et éviter d'avoir l'air d'un idiot.

– On m'appelle Baram ! Je suis le surveillant de cette chambre. Je te connais, toi. Tu as déjà dormi ici. Tu ronflais même, rien ne t'a effrayé.

– Qu'est-ce qui aurait dû m'effrayer ?

– Eh bien, les grincements, les craquements, les hurlements, les courants d'air, le fantôme... Tu n'as même pas bougé un cil. C'était désespérant pour le pauvre spectre !

– Il s'est passé toutes ces choses ici, et je n'ai rien vu ! Tu es sûr ?! Hum, j'étais vraiment fatigué... Mais dis-moi, Baram, toi qui sembles tout savoir, tu n'aurais pas vu ma bourse, par hasard ?

À ces mots, le gnome affiche un air plutôt gêné. Il regarde Fée Des Bêtises droit dans les yeux et sent la chaleur lui monter aux joues. Il est rouge comme une **pivoine**. Il bafouille :

– Non... euh... je veux dire... oui... peut-être bien... je l'ai peut-être bien vue.

Visiblement, il est mal à l'aise ; il gigote dans la main de Fée Des Bêtises.

– Qu'as-tu à te tortiller comme ça ? Je t'impressionne, on dirait ! Alors, cette bourse, tu sais où elle est ou pas ?

– C'est que...

Baram se trémousse de plus belle. Puis il inspire profondément et déclare presque solennellement :

– Bon, d'accord ! Je l'ai vue, je sais où elle est. Venez avec moi !

Fée Des Bêtises veut reposer le lutin par terre, mais il proteste :

– Non, non, je suis très bien ici !

D'un petit doigt dressé, il désigne la cheminée.

– Il faut passer par là, venez, ce n'est pas dangereux !

Fée Des Bêtises, Morgan et Baram entrent dans le passage secret, puis l'âtre pivotant se referme derrière eux en silence.

Ils marchent quelques secondes avant de se cogner à un mur muni d'une sorte de soupirail au ras du sol. Le passage est petit. Baram peut s'y faufiler sans peine. Morgan doit rentrer le ventre et serrer les fesses, mais Fée Des Bêtises n'y arrivera jamais. Le garçon regrette de ne pas avoir une expression amusante à lui dire. Avec ses pouvoirs, elle aurait pu se faire aussi petite que Baram. Ç'aurait été rigolo ! Mais voilà, pas de phrase amusante, pas de métamorphose !

– Il faut passer par ce trou dans le mur, déclare le gnome. Pose-moi, s'il te plaît !

Fée Des Bêtises baisse sa main, et le petit être saute avec agilité sur le sol terreux. Levant les yeux vers la magicienne, il lui lance, avec une satisfaction qu'il n'arrive pas à dissimuler :

– Désolé, tu es trop grande pour nous accompagner.

– Oui, je sais ! répond Fée Des Bêtises en poussant un petit soupir.

Puis, se tournant vers Morgan, elle ajoute :

– Sois prudent et, surtout, rapporte le calepin. N'oublie pas que, pour retourner chez nous, nous aurons besoin de mes pouvoirs magiques !

Morgan dépose un gros bisou sonore sur la joue de Fée et lève la grille du soupirail. Baram passe le premier. Son rire cascade tout le long de la descente. Puis sa voix aigrelette parvient de loin, de très loin à Morgan :

– À ton tour, gamin !

Morgan passe ses jambes dans le trou et se couche sur le dos. Puis, d'un coup de reins, il se propulse dans l'inconnu à travers un long tunnel de pierre.

La descente est moins longue et moins vertigineuse qu'il ne l'aurait cru. En bas, il atterrit en douceur sur un épais tapis de fourrure.

–Je passe souvent par ici, lui confie Baram. Alors, j'ai pensé mettre un bon coussin pour amortir ma chute, parce que quand on se tape les fesses dix fois par jour sur le sol, ça commence à faire mal...

Le gnome éclate de rire.

– Bon, je n'ai pas beaucoup de temps. Donne-moi la bourse! fait Morgan en tendant la main.

Le lutin, les mains croisées derrière le dos, se dandine d'une jambe sur l'autre.

– C'est une belle bourse... bien remplie. Moi aussi, je veux apprendre les mots amusants qui donnent des pouvoirs magiques!

Il fait une petite moue, puis demande:

– Qu'est-ce que tu me donnes en échange?

La question surprend Morgan. Il n'avait pas imaginé qu'il devrait donner quelque chose pour récupérer la bourse et le calepin. Il se tâte; il n'a absolument rien sur lui qui pourrait servir de monnaie d'échange. Cependant, une idée lui vient.

– Donne-moi la bourse. Si Fée Des Bêtises retrouve ses pouvoirs, elle, elle pourra t'offrir tout ce que tu désires.

Le gnome ne semble pas très convaincu. Il se dandine encore quelques secondes. Enfin, il soulève le coussin de fourrure et tire sur le cordon de la bourse qui est aussi grosse que lui. Morgan s'empare de son trésor. Maintenant, il doit absolument remonter pour aller retrouver Fée Des Bêtises.

– Par où on passe pour remonter ? lance-t-il à Baram.

Ce dernier hausse les épaules, comme pour dire qu'il s'en fiche éperdument.

– Je te signale que si tu veux tes cadeaux, je dois remonter pour dire un pluriel amusant à Fée Des Bêtises, ricane Morgan.

– Bon, d'accord ! Suis-moi, je vais te montrer le chemin !

Baram soulève une tenture qui masque une porte, non loin du toboggan qu'ils ont pris à la descente. Derrière la porte, il y a un escalier. Ils le montent.

Morgan est bien étonné.

– S'il y a un escalier, pourquoi on ne l'a pas pris pour descendre ?

– Parce que c'est un escalier qui monte ! tranche Baram d'un ton grognon.

– Ça n'existe pas, un escalier qui monte seulement ! S'il monte, il descend aussi, c'est évident ! continue Morgan.

– Non, celui-là, il monte seulement !

Baram n'est pas de bonne humeur. C'est qu'il déteste qu'on le contredise. Morgan s'en aperçoit bien.

– Allez, d'accord ! Saute dans ma main, ce sera plus facile pour toi ! soupire-t-il en voyant le lutin qui peine énormément pour escalader les marches.

Si Morgan ne l'aide pas, ils seront encore là dans dix ans ! Le gnome est bien trop petit pour grimper cet escalier.

Baram, toujours ronchon, accepte l'offre. Tous deux reprennent leur ascension.

Ils finissent par arriver devant un gros mur. Baram dit à Morgan d'appuyer sur une certaine pierre, et le mur bascule. De l'autre côté, ils trouvent Fée Des Bêtises, bien tranquillement assise sur le sol.

Aussitôt, Morgan ouvre sa bourse et en sort le calepin. Mais celui-ci est tout grugé. Le raton a eu faim et, n'ayant rien d'autre à se mettre sous la dent, il a commencé à manger le papier. Un petit bout d'une feuille tombe sur le sol, mais Morgan ne s'en aperçoit pas.

– Ah, le p'tit rat ! bougonne le garçon.

Il exhibe le coupable qui se débat entre ses deux doigts.

– Comme il est mignon ! s'exclame Fée Des Bêtises en s'en saisissant.

– Eh bien, je te l'offre ! dit Morgan. Il est pour toi.

– Génial ! Je vais l'appeler Rat des Goûts... Non ! Le pauvre ! Rat... pide ! Euh... non. Rat-beau ! Non, pas terrible !... J'ai trouvé ! Rasta ! fait-elle en riant aux éclats et en caressant le raton sans poils qui est presque aussi petit que Baram dans sa main.

Pendant ce temps, consterné, Morgan essaie de déchiffrer les phrases griffonnées dans le carnet, mais elles sont illisibles. Il ne peut lire que quelques lettres, çà et là.

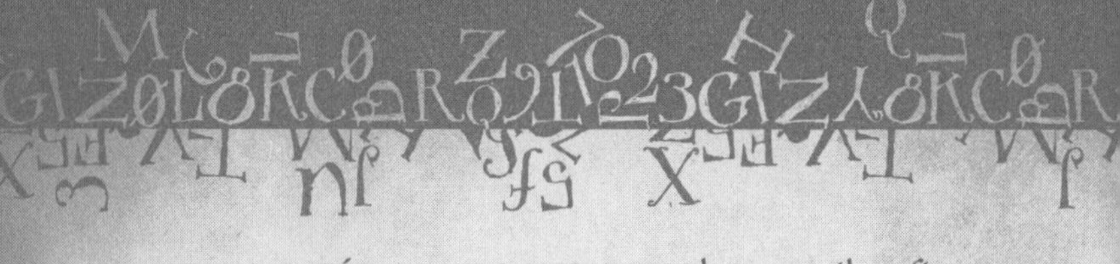

– UNE FÉE… DES SIENNES ! lance-t-il enfin.

– Hon, hon ! Ce pluriel-là ne sert qu'au moment de partir de chez nous… jamais au cours d'une expédition, le reprend Fée Des Bêtises en embrassant son nouvel ami, Rasta, sur le bout du museau. Allez, vite, il faut autre chose.

Morgan continue de feuilleter le carnet, en bégayant.

– UN BOND … des… euh… des…

– DES BUTS ! lance Baram, en lisant le petit bout de papier échappé du carnet qu'il a ramassé.

– Oui… UN BOND… DES BUTS* ! répète immédiatement Morgan, soulagé.

Aussitôt les lettres magiques viennent se placer devant eux.

Illico, Fée Des Bêtises retrouve ses pouvoirs magiques et reprend son apparence de princesse.

– Ouf, merci pour ce bon début !

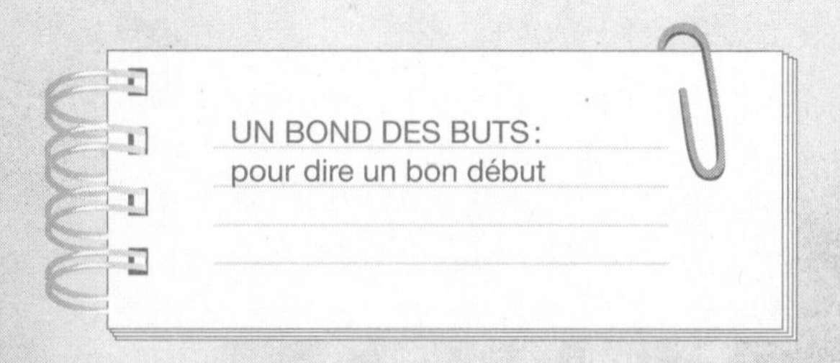
UN BOND DES BUTS :
pour dire un bon début

Baram s'extasie devant la beauté de la magicienne. Cependant, Fée fait cesser ses exclamations en lui demandant pourquoi il a volé la bourse.

–Parce que c'était beau ! avoue-t-il. Mais Morgan m'a dit que si je la rendais, tu me donnerais des cadeaux. Il faut tenir ses promesses.

–D'accord ! Que veux-tu ? l'interroge Fée.

–Je veux un gros gâteau au chocolat, plus gros que moi. Je veux des habits neufs, bleu, vert, rouge, jaune, noir, blanc, violet... enfin... euh... plein d'habits neufs. Je veux aussi un grand coffre avec plein de pierres précieuses, de

pièces d'or, de bijoux, un trésor pour moi tout seul. Je veux… euh… un système de poulies avec une petite nacelle le long de l'escalier pour monter plus vite. Je me fais vieux et c'est crevant de toujours escalader ces marches-là !

Morgan éclate de rire.

– Voilà ton vœu le plus intelligent ! s'exclame-t-il.

– J'ai une dernière question à te poser, poursuit Fée. Où Morgan doit-il chercher pour trouver les ancêtres de son amie Jenny ? Mais fais attention, si tu mens, je le saurai, et adieu les cadeaux !

– Il faut aller dans la salle des souvenirs ! C'est pas très loin, mais Morgan aura encore quelques épreuves à surmonter pour découvrir ce qu'il cherche. Moi, je ne viens pas avec vous ! Au revoir !

Baram saute dans le toboggan. Quelques secondes plus tard, Fée Des Bêtises et Morgan l'entendent hurler de plaisir. Il vient de trouver les cadeaux que la magicienne lui a faits et, surtout, le système de poulies avec une petite nacelle pour le hisser le long de l'escalier qui monte seulement.

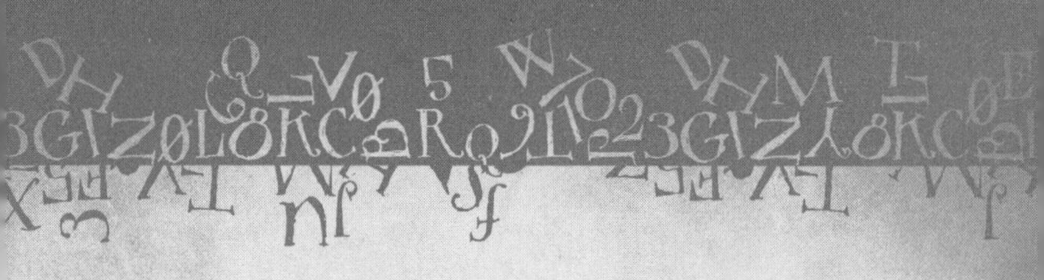

Fée et Morgan traversent la pièce et voient un autre escalier, plus loin. Il a l'air de conduire au deuxième palier de ce château construit très bizarrement. Les deux amis s'y engagent. Le mur de pierre se referme lentement derrière eux. Plus question de changer d'idée.

CHAPITRE 8

Morgan et Fée Des Bêtises montent, montent et montent encore. Cet escalier en colimaçon ne semble jamais vouloir finir. Enfin, ils atteignent la dernière marche, mais un autre obstacle se dresse devant eux.

– Encore un mur ! J'en peux plus, moi, de voir des murs, des murs et encore des murs ! rouspète Morgan.

– Celui-ci est le dernier, je peux te l'assurer ! répond Fée Des Bêtises qui a retrouvé ses pouvoirs magiques. Mais il te reste quelques épreuves à surmonter.

– J'en peux plus, je suis fatigué ! Tellement fatigué !

Morgan s'essuie le visage avec la manche de son surcot. C'est alors que le foulard rouge lui frôle la joue et lui rappelle la promesse qu'il a faite à Jenny. Il pousse un profond soupir. Il ne va quand même pas renoncer si près du but !

– Regarde, Morgan, il y a des dessins sur le mur. Il faut sûrement que tu répondes à une énigme pour ouvrir ce passage, déclare Fée Des Bêtises en passant le bout des doigts sur les dessins.

– Probablement ! Mais qui va me poser l'énigme ? Je ne vois ni chevalier, ni géant, ni lutin…

Un gargouillement **lugubre** retentit au-dessus de sa tête. Une horrible **gargouille** le fixe de ses petits yeux menaçants. Un épais liquide glisse de sa gorge de diable de pierre. Morgan saute en arrière pour ne pas le recevoir sur la tête. Le liquide verdâtre forme rapidement un amas gluant au pied du mur, puis se solidifie en prenant la forme d'une licorne. L'animal fabuleux s'anime.

– Bonjour. Je suis chargée de te conduire hors de ce château hanté. Si tu parviens à réaliser ton souhait, bien entendu. N'oublie pas que tu es venu ici dans un but bien précis…

– Je ne l'oublie pas ! confirme Morgan. Dis-moi, que dois-je faire maintenant ?

– C'est très simple ! répond la licorne. Tu vois les figures géométriques sur ce mur ?… Eh bien, il te suffit d'appuyer sur le décagone pour que le passage s'ouvre. Derrière ce mur, tu trouveras la réponse à toutes tes questions !

– Je ne peux pas t'aider, Morgan ! intervient Fée Des Bêtises. C'est à toi d'accomplir cette quête. Rappelle-toi que mes pouvoirs magiques sont à ta disposition seulement en cas de danger extrême.

– Ne te trompe pas, Morgan, appuie bien sur le décagone, sinon tu te retrouveras sur l'Île enchantée, et tu devras tout recommencer, le prévient encore la licorne.

– Un décagone ? C'est quoi, un décagone ?

Morgan examine attentivement les figures géométriques. Il voit quelques formes qu'il reconnaît facilement : un cercle, un triangle, un losange, un carré et plusieurs autres dessins à plusieurs côtés.

– Un décagone ?... réfléchit-il. « Déca »... ça ressemble à « dix », ça. Décimètre, décilitre... Ça doit être ça !

Sa main effleure plusieurs dessins pour s'arrêter sur une figure à dix côtés. Il ferme les yeux, s'encourage tout bas et appuie très fort sur la pierre gravée.

Le mur tremble et pivote. Morgan soupire de soulagement : il a réussi. Il avance déjà un pied pour franchir l'obstacle, mais Fée Des Bêtises le retient vivement par le bras. Il n'a pas remarqué que le plancher disparaît de ce côté-là du mur. Il a failli faire une chute sans fin dans un vide absolu.

Morgan sent des gouttes de sueur mouiller son front. Il a eu chaud. Un noir d'encre règne de l'autre côté. Il se tourne vers la licorne.

– C'est le vide, il n'y a rien derrière ce mur !

– Prends une torche et regarde, lui conseille l'animal mythique.

Morgan décroche une torche du mur et, la brandissant devant lui, il examine les ténèbres qui s'ouvrent à ses pieds. Il distingue vaguement quelque chose qui vacille faiblement. Il se concentre sur ce point.

–Je crois qu'il s'agit d'un tableau ! dit Fée Des Bêtises. C'est le portrait d'une des ancêtres de Jenny. Tu dois aller le chercher.

–Mais comment ? Je ne vais quand même pas me jeter dans le vide ! proteste Morgan. Si je suis mort, je ne vois pas comment je pourrai aider Jenny.

–Il y a un élastique attaché au mur. Accroche-le bien autour de tes chevilles et laisse-toi tomber dans le vide. Au passage, essaie d'attraper le portrait. Tu as droit à trois essais. Si tu rates ton coup trois fois, tout sera terminé. Tu ne verras pas ce portrait, et je devrai te renvoyer à ton époque, fait la licorne en le fixant de ses grands yeux noirs.

–J'en ai marre, moi ! dit Morgan en soupirant.

Mais, déjà, Fée Des Bêtises attache l'élastique à ses chevilles. Il ferme les yeux. Il a terriblement peur de se lancer dans le vide. Son cœur bat à toute vitesse. Morgan a l'impression qu'il va s'échapper de sa poitrine. Prenant son courage à deux mains, il se penche au-dessus du vide et laisse son regard s'accrocher au tableau. Il ne faut pas qu'il quitte ce dernier des yeux, car il a l'impression qu'il ne pourra jamais sauter s'il ne le regarde pas, ne serait-ce qu'un instant. Puis il compte : un, deux, trois. Il plonge. Il est si effrayé qu'il ne peut faire le moindre geste. Une première fois, l'élastique se détend, et le corps de Morgan passe près du tableau. Mais le garçon est paralysé par la peur ; il n'arrive pas à tendre la main pour saisir le portrait.

Le rebond de l'élastique l'entraîne de nouveau dans les profondeurs.

« Morgan, il faut réagir ! » se dit-il.

Alors qu'il arrive pour la seconde fois à proximité du tableau, sa main l'accroche. Le portrait se détache de la corde à laquelle il est suspendu.

Morgan est fou de joie. En deux tentatives seulement, il a réussi l'épreuve du vide. Il commence même à trouver amusant de se balancer au bout d'un élastique. Alors, d'un coup de reins, il se propulse une dernière fois, savourant l'ivresse de la chute.

Brusquement, le vide s'éclaire. Morgan se trouve suspendu par les pieds au-dessus d'une montagne de coussins qui semblent bien moelleux. L'élastique se casse sans avertissement. Le jeune aventurier s'écroule sur cette montagne de polochons. Et il rit, il rit, il rit, tout en serrant le portrait contre sa poitrine. Il a réussi. Il a vaincu tous les dangers. Il est vraiment fier de lui.

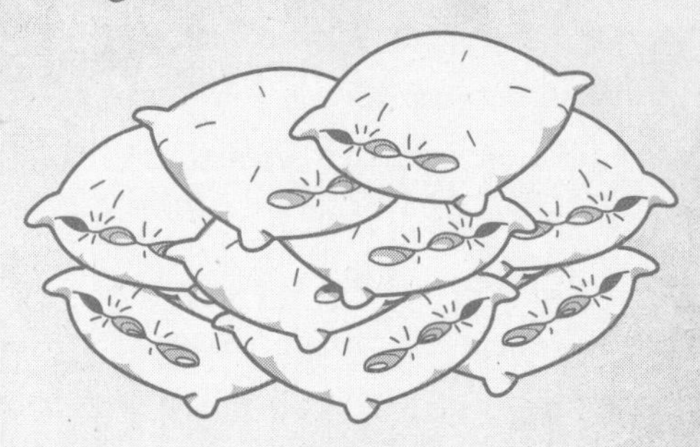

La licorne et Fée Des Bêtises viennent immédiatement le rejoindre dans la pièce éclairée par un joyeux soleil. Morgan est si heureux qu'il ne peut parler. Il presse encore le portrait contre lui très, très fort, comme s'il avait peur qu'il disparaisse.

– Montez sur mon dos, fait la licorne. Je vais vous conduire vite hors de ces murs, car ils vont s'écrouler. Tu as conjuré le mauvais sort qui planait sur ce château en réussissant toutes les épreuves, ce que personne n'a jamais pu faire avant toi. Il faut fuir.

Sachant toutes les étrangetés que cette forteresse leur a réservées, Fée Des Bêtises et Morgan bondissent sur le dos de la licorne. L'animal fabuleux détale à vive allure. Déjà, les murs de la citadelle ont commencé à se fissurer. Des pierres tombent avec fracas. Un terrible grondement se fait entendre. Morgan a une pensée pour tous ceux qu'il y a connus.

– Que va-t-il arriver au Chevalier de la Tour, au garde endormi et à Baram ?

– Ne t'inquiète pas ! le rassure la licorne. Ils ont quitté le château, eux aussi. Dès que tu as réussi à décrocher le portrait, ils ont su que tout allait s'écrouler !

– Merlin l'Enchanteur va prendre soin d'eux, confirme Fée Des Bêtises. C'est un joueur de tours, mais aussi un gentilhomme, même s'il m'a enfermée dans une oubliette...

Au moment où le château s'écroule complètement, la licorne dépose Morgan et Fée Des Bêtises à l'abri dans le parc du château, juste devant la grille d'entrée. Aussitôt, les deux dragons se précipitent vers eux. Mais, en reconnaissant Morgan, ils s'arrêtent dans leur élan. Ils font demi-tour, la queue entre les pattes. Ils n'ont pas envie de revivre l'expérience du jet d'extincteur. La mousse a trop mauvais goût pour leur fin palais.

Morgan et Fée Des Bêtises font leurs adieux à la licorne. Celle-ci s'en va en gambadant joyeusement dans le parc. Sous ses pas, des multitudes de fleurs multicolores se mettent soudain à éclore. De joyeux chants d'oiseaux remplissent l'air. Morgan a le cœur gonflé de fierté et de bonheur.

– Et si on jetait un coup d'œil à ce portrait ? propose Fée Des Bêtises en tapotant la tête de son jeune ami d'un air protecteur.

– Oh, bien sûr !

Mais ce qu'il voit le fige sur place.

CHAPITRE 9

Morgan tourne et retourne le portrait entre ses doigts. Il n'arrive pas à y croire. Il regarde même à l'endos du tableau au cas où il trouverait une note d'explication. Quelqu'un est-il en train de lui jouer un tour ? Mais non ! Il a le bon tableau entre les mains.

Fée Des Bêtises trouve son attitude très bizarre. Il semble catastrophé.

– Qu'est-ce qu'il y a ? Aurais-tu découvert que l'ancêtre de Jenny était un monstre ? On dirait que tu as vu le diable en personne.

Morgan lui tend le portrait sans dire une parole.

– Très jolie, cette dame aux cheveux noirs. Regarde comme elle est distinguée. Elle a l'air d'une princesse ! déclare Fée Des Bêtises.

Devant le silence du garçon, elle s'inquiète pourtant.

– C'est que... cette aïeule... elle ressemble à la mère de Jenny ! répond Morgan.

– Oui ! Eh bien, c'est normal, n'est-ce pas ?

– Justement, non ! C'est pas normal ! Parce que Catherine, ce n'est pas sa mère. Jenny a été adoptée, rappelle-toi ! Alors, comment ça se fait que sa véritable ancêtre ressemble à sa mère adoptive ?

Morgan se laisse tomber dans l'herbe haute qui frissonne sous un petit vent doux.

– Oh ! oh ! On a un problème, il me semble.

Fée Des Bêtises s'assied près de son jeune ami et lui lisse les cheveux d'une main cajoleuse.

– Et si on s'était trompés ? dit Morgan. On n'a peut-être pas cherché au bon endroit. Peut-être qu'on s'est trompés de siècle ! Ou, pire encore, je me suis trompé de portrait... C'est ça, je me suis trompé de portrait !

Il éclate en sanglots. Il est à bout de nerfs.

– C'est impossible, Morgan ! Il n'y avait qu'un portrait dans la salle aux souvenirs ! Tu as attrapé le seul et unique tableau ! Retournons à notre époque. Il n'y a que là qu'on pourra tirer toute cette histoire au clair.

Morgan soupire. Il n'est pas réellement convaincu, mais ne voit pas ce qu'il peut faire de plus. Fée Des Bêtises sort alors un gros réveil de dessous son surcot rouge. Elle tourne les aiguilles du cadran à l'envers. Mais rien ne bouge.

–Je crois que j'ai besoin d'une petite expression magique, fait-elle d'une voix douce.

Morgan regarde son carnet tout grugé. Il tourne les pages à toute vitesse. Il manque des lettres partout. Soudain, il en trouve une à peu près intacte...

–UN BRUSQUE... DES PART !

Les lettres s'envolent et s'immobilisent dans les airs, mais rien ne se produit. Vite Morgan tourne encore les pages. Il faut un S. Il en trouve finalement un tout seul, sur une page toute mangée.

–PARTS* avec un S, crie-t-il en espérant que ça va fonctionner.

Le S s'en va rejoindre les autres lettres, et aussitôt, les aiguilles du réveil se mettent à tourner à toute vitesse. Le garçon se sent aspiré dans un tourbillon de fumée blanche. Il voit les **haillons** de Fée Des Bêtises réapparaître. La jolie fée redevient la sans-abri du monde moderne. Morgan sent sa

UN BRUSQUE DES PARTS :
pour dire un brusque départ

tête devenir lourde, très lourde. Ses membres s'engourdissent. Sa respiration se fait plus saccadée. Il a l'impression d'être soulevé du sol par un immense aimant.

Brusquement, tout s'immobilise. Les rayonnages de la bibliothèque se matérialisent sous les yeux de Morgan. Fée Des Bêtises et lui sont revenus dans leur monde. Avant de faire basculer l'étagère, ils jettent un coup d'œil entre les bouquins, histoire de vérifier si la voie est libre. Bon, personne en vue. Ils sont de nouveau dans l'allée de la section « Histoire ancienne. »

– On se retrouve à la cabane, dit Fée Des Bêtises en passant à travers le mur.

En se dirigeant vers la sortie, Morgan tombe sur la bibliothécaire.

– Alors, mon petit gars, tu n'as pas trouvé le livre que tu cherchais ?

– Si, si, madame ! Je l'ai consulté sur place, répond Morgan en tentant de filer le plus vite possible, tant il redoute d'autres questions.

– Tu es resté deux heures et demie dans la section « Histoire ancienne », lance la vieille dame. Je n'ai jamais vu un garçon de ton âge y passer autant de temps ! Bravo ! C'est bien d'avoir la passion de l'histoire !

Morgan lui sourit et s'esquive.

–Je dois m'en aller, ma maman me cherche sûrement ! Au revoir, madame !

Il a à peine franchi le tourniquet qu'il file déjà vers la cabane. Lorsqu'il y parvient sept minutes plus tard, il y retrouve Fée Des Bêtises, confortablement installée dans le vieux fauteuil défoncé, en compagnie de Joffrey et Jenny.

– Ah, te voilà ! s'exclame Joffrey. Fée Des Bêtises est en train de nous conter tes aventures.

– Mon héros ! s'écrie Jenny en lui faisant un gros bisou sonore sur la joue.

Morgan rougit.

– Allez, vite, continue la fillette, fais voir le portrait de mon ancêtre.

Morgan tire de son blouson de cuir le portrait tant attendu. Il le tend à Jenny d'un geste lent, en baissant la tête. Il fixe le bout de ses chaussures de course.

–Hé, c'est ma mère ! Je veux dire : ma mère actuelle ! s'étonne Jenny.

–Je sais ! Nous non plus, on n'y comprend rien, soupire Morgan.

–Et si ta mère… je veux dire : Catherine… t'avait raconté des blagues, si tu n'étais pas adoptée ? suggère Joffrey en examinant le portrait de plus près.

–C'est pas des farces à faire, ça ! Ma mère… euh… Catherine ne m'aurait jamais joué un tour pareil. Si elle dit que j'ai été adoptée, c'est que je l'ai été. Un point, c'est tout !

Jenny ponctue sa phrase d'un coup de pied dans un tabouret.

–Je n'y comprends plus rien ! reprend Joffrey. Tu devrais peut-être questionner ta mère… euh… Catherine, je veux dire !

–C'est la seule solution, conclut Morgan. Je ne peux rien faire de plus pour toi.

Jenny est abasourdie. La quête de Morgan soulève plus de questions qu'elle n'en résout. Fée Des Bêtises, Morgan et Joffrey regardent leur amie. Va-t-elle accepter d'interroger Catherine ?

Jenny hésite. Elle craint les réponses, mais elle veut vraiment savoir.

« Et puis, se dit-elle, ce ne serait pas gentil pour Morgan, après tout ce qu'il a vécu, de le laisser dans le doute. »

La petite fille comprend qu'elle doit, à son tour, faire preuve de courage. Pourtant, elle préférerait vivre mille aventures dangereuses dans des époques lointaines plutôt que de poser des questions à Catherine sur son adoption. Mais voilà, son défi à elle, c'est celui-là. Elle doit le relever, comme Morgan a surmonté toutes les épreuves qu'il a rencontrées.

– D'accord, je vais lui parler.

Morgan et Joffrey proposent de l'accompagner. Fée Des Bêtises décide d'y aller, elle aussi. Elle tient à connaître le fin mot de cette histoire. Jenny lui glisse un mot-valise qu'elle extrait de son propre carnet :

– Un CHEVALIERRE* est un animal grimpant !

Les lettres montent une à une dans les airs et la magicienne se métamorphose en un splendide oiseau qui part se poser sur le rebord d'une fenêtre ouverte de la maison de Jenny. Le volatile

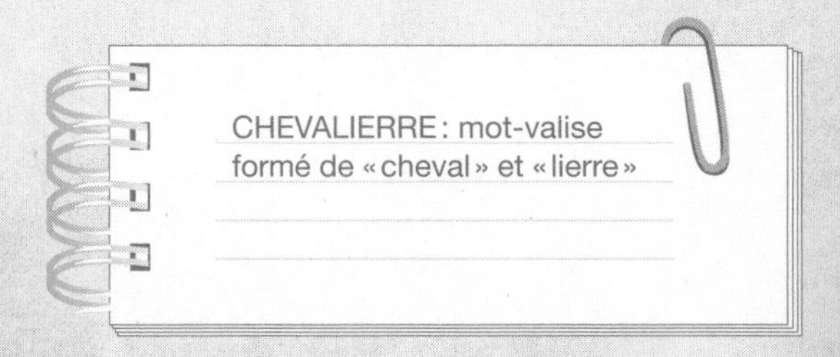

plonge son regard perçant dans la pièce. C'est la chambre de Jenny. Catherine, la maman, tournevis en main, est occupée à y poser une étagère.

CHAPITRE 10

Catherine se retourne en entendant la porte de la chambre s'ouvrir. Elle sourit à Jenny et à ses amis.

Elle choisit une vis dans le coffre à outils ouvert sur le plancher.

– Viens ici, Jenny. Tiens la planche bien droite pendant que je place l'**équerre** dessous et que je visse.

– Mam…, commence Jenny.

Mais les mots ont du mal à se frayer un passage dans sa gorge. Elle sent une grosse boule qui les retient. Ses yeux s'embuent de larmes.

S'en apercevant, Catherine dépose sa vis et son tournevis. Elle attire Jenny contre elle et toutes les deux s'assoient sur le lit. Catherine fait signe aux deux garçons de les laisser seules.

– Non, ils peuvent rester. Je leur ai dit…, sanglote Jenny.

– Bien, alors, que veux-tu savoir ? l'interroge Catherine en posant un baiser sur ses cheveux.

– Qui est ma vraie mère ? demande la fillette d'une petite voix entrecoupée de sanglots.

Préparée depuis longtemps à entendre cette question, Catherine répond sans détour :

– Ta vraie mère était ma sœur jumelle, Viviane ! Il est arrivé un accident terrible, il y a neuf ans de cela. Ma sœur et ton papa, Arthur, sont décédés en voiture. Toi, tu n'avais que trois mois. Tu étais l'enfant de ma sœur, c'était normal que ce soit moi qui t'adopte. Voilà, il n'y a rien de mystérieux dans tout cela ! Mais tu t'es enfuie lorsque j'ai voulu t'en parler et je n'ai pas pu tout t'expliquer…

À la surprise de Catherine, Morgan, Joffrey et Jenny poussent aussitôt un cri de joie.

– Tout s'éclaire maintenant ! C'est pour cela que la femme du portrait ressemble tellement à Catherine ! souffle Joffrey à son ami.

– C'est vraiment son ancêtre et celle de sa sœur jumelle Viviane ! soupire Morgan.

Le jeune aventurier est soulagé : il ne s'est pas trompé de siècle ni d'endroit, et encore moins de tableau.

Jenny se précipite vers Morgan en sautillant. Elle est folle de joie. Sa famille actuelle est sa vraie famille, même si elle a été adoptée. Toute son inquiétude s'envole.

Les trois enfants se mettent à danser au milieu de la chambre. Catherine fronce les sourcils. Décidément, elle n'y comprend rien. Trois heures plus tôt, Jenny est partie retrouver ses amis, en larmes, après avoir appris qu'elle avait été adoptée, et la voilà maintenant qui danse, rit et semble remplie de bonheur.

Catherine ne cherche pas à comprendre. Seul le bonheur de Jenny lui importe. Elle se remet à son travail en reprenant sa vis et son tournevis.

– Jenny, viens tenir la planche...

Mais, n'entendant que le silence, Catherine se retourne. Les trois enfants sont partis. Elle sourit et jette un coup d'œil par la fenêtre pour tenter de les apercevoir. Elle remarque alors un magnifique oiseau multicolore, mais celui-ci s'envole dans le ciel en poussant un cri qui ressemble à un rire.

– FIN –

LEXIQUE

CHAPITRE 1

HIÉROGLYPHE (un) : signe du système d'écriture des anciens Égyptiens.

CHAPITRE 2

AIGRETTE (une) : faisceau de poils porté par certains fruits ou graines.

CHAUSSES (des) : sorte de culotte allant de la ceinture aux genoux.

COTTE (une) : jupe courte plissée à la taille.

DAMOISEAU (un) : nom d'un garçon qui n'est pas encore chevalier.

MENTONNIÈRE (une) : bande de tissu passant sous le menton.

POULAINE (une) : chaussure à l'extrémité relevée en pointe.

SURCOT (un) : vêtement, court ou long, porté par-dessus la cotte.

TOURET (un) : chapeau féminin, parfois en dentelle ou en soie.

CHAPITRE 3

CRÉNEAU (un) : ouverture dans le haut d'un mur permettant de tirer sur l'ennemi en restant à l'abri.

DOUVE (une) : large fossé rempli d'eau.

PONT-LEVIS (un) : pont mobile qui se lève ou s'abaisse au-dessus du fossé d'un château.

CHAPITRE 4

COUTELAS (un) : épée courte et large à un seul tranchant.

HALLEBARDE (une) : arme munie d'un fer pointu d'un côté et d'un fer tranchant de l'autre.

OUBLIETTE (une) : cachot où on enfermait les prisonniers condamnés à vie.

REMPART (un) : muraille épaisse entourant une place fortifiée, une ville.

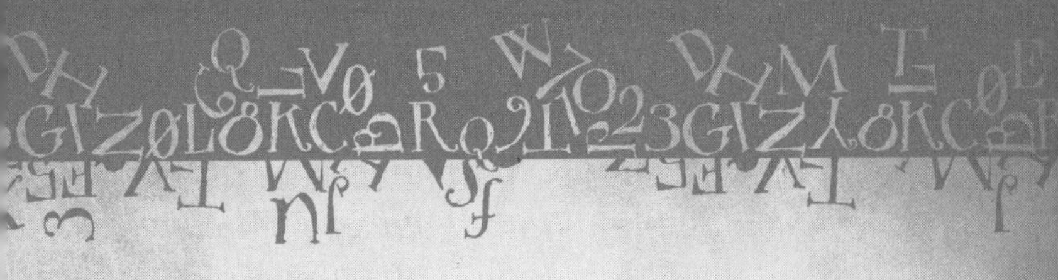

CHAPITRE 5

BALDAQUIN (un): tenture dressée au-dessus d'un lit.

PLUMET (un): bouquet de plumes ornant un casque.

TULLE (un): tissu léger et transparent.

CHAPITRE 6

ÉCUELLE (une): assiette creuse sans rebord.

CHAPITRE 7

PIVOINE (une): plante avec de grosses fleurs rouges, blanches ou roses.

SOUPIRAIL (un): ouverture destinée à laisser passer l'air et la lumière dans un sous-sol ou une cave.

CHAPITRE 8

GARGOUILLE (une): gouttière en forme de monstre permettant d'évacuer les eaux de pluie.

LUGUBRE: inquiétant.

CHAPITRE 9

HAILLON (un) : vêtement en loques, guenilles.

CHAPITRE 10

ÉQUERRE (une) : pièce de métal ou de bois en forme de L ou de T dont on se sert souvent pour soutenir des étagères.